日本はなぜ世界から取り残されたのか

世界のエリートが考える衰退の要因

サム田渕
Sam Tabuchi

PHP新書

はじめに

「国は愛してもいい。しかし、絶対に信用してはいけない」

一九六九年に入学した立教大学で、野田一夫教授に聞いた言葉である。

その時にはどういうことかよくわからなかったが、フロリダ州立大学の大学院に留学し、フロリダ州政府で働き、民主主義の教育と政治を身に付けたことで、よく理解できるようになった。

第二次世界大戦で日本が敗戦国となったのは、国民が国を無条件に信用したからだ。

「日本人は国を愛し、国のために戦った」と戦後育ちの私たちは教えられてきたが、そうではない。当時の人々は、国を信用してともに滅びの道に迷い込んだのだ。

憲法はあったが、言論の自由はなかった。選挙はあったが制限付きだった。国民を統治するための教育が施されていた。このような国は、もちろん民主主義の国ではない。

終戦後の日本をしばらく統治したアメリカは、日本に民主主義の導入を図ったが、内外の政治的な問題もあって、日本社会の旧弊《きゅうへい》にはあまり手を付けなかった。ＧＨＱ（連合軍最高司令官総司令部）の有名な政策である「財閥解体」も、現在の日本の企業社会に身を置く人に言わせれば建前でしかない。「人は変えたが、実質は変えなかった」というところである。ＧＨＱで日本教育指導に携わった元フロリダ州立大学教授にも話は聞いたが、民主主義の下《もと》での教育指導は封建主義に変えられていったとお聞きした。

国民を導く優秀な「お上」と、勤勉で規律ある「民」。占領時代以後もこの構図は生き残り、日本の真の民主主義国への脱皮はかなわなかった。

独立回復後の高度経済成長は、「建前民主主義、実は官主主義」で産業政策を基礎に経済政策を立ち上げ、これが吉と出たものだ。国際社会から「ミラクル」と言われるほどの復活を遂げ、日本のシステムは今日まで生き長らえてきたと言える。

現在の日本が政治的にも経済的にも混迷しているのは、いよいよこのシステムがグローバル社会に生きる日本人自身にフィットしなくなったからだと私は考える。

ついに日本も、さなぎのような時代を経て、本当の民主主義社会へと羽化しようとしているのだ。

それを可能にするために、これからは野田教授の言うところの「国を愛する」ことが正しい意味で必要だ。

　ジョン・F・ケネディ大統領の有名な就任演説にそのヒントがある。

「国があなたに何をしてくれるかを問うのではなく、あなたが国のために何ができるかを問うてほしい」

　国の至らないところ、悪いところ、誤っているところを一人一人が発見し、それを改めてよりよい国を皆でつくっていこうというこのメッセージは、今こそ日本を背負って立つ新しいリーダーたちが発すべきものであろう。

　世界は技術革新、IT化、AI導入、また最近のポピュリズムなどの影響で今までにないスピードで変化、進化している。少しでも注意を怠ると、旧来の価値観ではついていけない世界に突入する。そのような状況で、日本の進化・革新のスピードは遅く、世界から取り残されているという危機を感じている日本人は、私を含めて多くいるだろう。

　この本は、日本はこのままでよいのかと考えている日本人、これから世に出ようとしている若者に、私の海外での経験を通じて学んだこと、グローバルで活躍する世界のエリートたちの日本観を伝え、何をすれば日本は経済復興ができるか、また、日本が世界に対しどう貢献できるかを考えてほしいと思い執筆した。

本書のテーマの一つである“Do the Right Thing（正しいことを行なう）”という精神を、是非、政治家やメディアは体現してもらいたい。

私は、フロリダ州政府でフロリダ、アメリカ社会のために働き、そこで民主主義の政治とはどういうものかを学んだ。現在は日本に戻り、東洋大学で研究生活を送ってきたが、日本はよい国だと思う。だが、やはり日本を愛するがゆえに、日本社会の「アラ」がよく見える。これからの日本人がより安全で住みよい社会をつくっていくために、私にできることは何かを考え、今回の執筆を決意した。

私には、海外の第一線で活躍する友人が多くいる。友人と呼ぶには恐れ多いが、マレーシア元首相のマハティール・ビン・モハマド閣下にも親しくしていただいている。だから、単なる私の思い込みだけでものを言わないように、彼らにアンケートを取り、日本社会の良いところ、悪いところを自由に語ってもらった。本書ではそれをありのままに伝えながら、私なりの意見を加えていきたいと思う。

さらに、アンケート回答者のうち、三名を選んで追加でインタビューを行ない、彼らの日本観をより深く掘り下げてみた。第三章のあとに付したコラムで紹介したいと思う。

国を愛し、皆で良い国になるように考え、行動する。これまでの日本が行き詰まったからこそ変われる。

日本の未来は、これからである。

「進化論」を唱えたダーウィンによると、地球の歴史上、生き残ってきたのは強い生物ではなく、環境の変化に対応してきた生物である（ダーウィンはそんなことは言っていないという説もあるようだが、アメリカではそのように教えられている）。私は日本を恐竜にしたくない。

本文に入る前に、本書を書いている私がどのような人間なのか、読者の方に知っていただきたい。少し長くなるが、私の経歴を述べさせていただく。

私は日本生まれ、日本育ちで大学卒業後アメリカ留学し、大学院卒業後にフロリダ州政府に就職した。フロリダ州政府在任中は州の経済開発に従事し、日本・アジア企業のアメリカ誘致のための仕事を担った。

フロリダ州政府在任中、元フロリダ州知事（ルービン・アスキュー）が合衆国通商代表に就任されたのだが、元知事の日本へのミッションの責任者であった私に連絡があり、以降USTR（米通商代表部）の特別補佐官（出向）に任じられた。USTRでの日米自動車交渉、米国エネルギー政策発案などの経験から、州政府退職後、米国で新幹線・リニアモーターカー（磁気浮上式鉄道―マグレブ）などの公共交通開発プロジェクトに携わった。

プロジェクト開発のための法律の立法、土地の収集からはじまり、ドイツとのリニアモーターカーの技術提携、アメリカで走行させるための政府との交渉を行ない、認可を得た。しかし地元の反対や、法律の変更、技術提供を受けたドイツの統一による影響（技術コストの増加）もあり、プロジェクトは遅々として進まなかった。発足から一〇年後、すべての問題を解決した時に日本のバブルが弾け、プロジェクトのファイナンスがつかず、結局は残念な思いをした。

その時、元知事から「お前はアメリカにとって必要と思われる公共交通の拡大化を試みたが、うまくいかなかった。物事には運不運があり、タイミングが左右することもある。どうだ、今度はバブル崩壊後苦しんでいる母国に帰り、日本のために何か貢献しないか。大きなプロジェクトを考えなくてもいい。お前がアメリカで学んだ民主主義、経済システムで日本を一歩でも前に進めることをやっては」という言葉をいただき、私は帰国することにした。

日本帰国後はアメリカの不動産・金融の研究機関の日本支部部長として、アメリカ不動産開発ノウハウを紹介し、アメリカのセカンダリーファイナンス（右下がり経済）などの導入で少しずつ不良債権を減らすという仕事に従事した。その後日本政策投資銀行と仕事をするようになったのだが、そのご縁で、二〇〇六年に日本政策投資銀行と東洋大学が提携して誕生した官民連携（ＰＰＰ：Public Private Partnership）の大学院の客員教授に就任、二〇〇九年より教授となった。

ＰＰＰを簡単に説明すると、老朽化した公共施設に再投資するために、資金を持つ民間と提携するシステムのことを指す。途上国においては最初から民間と協力してインフラ投資を行なう必要がある。よって、先進国、途上国ともＰＰＰは非常に重要なシステムである。欧米では近年、民間の効率性を生かすため、政府機関の予算執行にもＰＰＰのノウハウが活用されている。

東洋大学ではＰＰＰの大学院で一六年教鞭をとり、二〇二一年で退職したが、在任中に設立したアジアＰＰＰ研究所のアドバイザーとして、ときどきお手伝いをしている。また、国連ではＰＰＰ専門家委員会で仕事をさせていただき、二〇一八―二二年には議長を務め、現在はＳＤＧｓ（持続可能な開発目標）遂行のためにレジリエンシー（災害に強いシステム）の構築とサステナビリティ（持続可能開発）のグループのメンバーとしても活動している。可能であれば次期ＳＤＧｓ（Next SDGs）確立のメンバーに入り、世界の二〇三〇年から二〇四五年の在り方の研究に参加したい、と願っている。

日本はなぜ世界から取り残されたのか　目次

第二章　日本の政治　長所と短所

■日本のエリート四名の答え　116

第三章 日本経済の強みと弱み

第四章　日本はどのように世界に貢献できるか

第一章

日本人の強みと弱点

【アンケート1】日本人の優れているところとは

アメリカのエリート九名の答え

S氏　ハーバード大学ロースクール元客員教授、マイアミ大学ロースクール元部長（不動産、土地利用セクション）、フロリダ州立大学元教授、日本政府（建設省）、開発会社元顧問、日米協会元セクレタリー（幹部）、フロリダ支部長

➡日本人には仕事をする前に親しくなりたがる習慣がある。これはうまくいく時もあるが、ビジネスに時間がかかるという側面もある。

➡ホスピタリティに優れ、人への「おもてなし」がすばらしい。人助けの精神もす

ばらしい。
➡日本は世界で一番安全な国である。

C氏　アメリカ・シティ・マネージャー協会元理事、南部大都市の元シティ・マネージャー、ヴァージニア州立大学教授

➡ホスピタリティがすばらしい。
➡個人の目的より、社会へのインパクトを考える傾向がある。
➡競争ではなく共存、他人への尊敬、老人への尊敬など人の尊厳を重視する。
➡長い歴史と伝統ある文化を持つ。
➡日本食は世界でも最高にレベルの高い料理である。
➡街がクリーンで安全な社会。

D氏　ルイジアナ州ハリケーン対応チーフ・コンサルタント、国連レジリエンス・センター・チェアマン、地方自治での経済開発専門家

⬇災害に対する対応力に優れる。

⬇心に静けさがあり、社会を考えた行動ができる。

Z氏　元日本企業弁護士、フロリダ州日米協会幹部、妻は日本人

⬇正直であり、勤勉である。

⬇家族思いである。

⬇日本料理は水準が高い。

M氏　ＰＰＰ（官民連携）専門官、アメリカ大手エンジニアリング会社元幹部、在日米軍基地元施設管理責任者

⬇優れた人格を持つ（正直、誠実、勤勉、倫理的価値観）。
⬇組織への忠誠心と人への尊敬心を持つ。

R氏　フロリダ州元予算管理官、全米州予算管理官協会会長、日本で自治体予算管理を教える

⬇礼儀正しい、正直、勤勉、他人への尊敬心を持つ。
⬇社会を清潔に保っている。
⬇難しい問題を解決する能力がある。

H氏（女性）ＰＲ（渉外活動）専門官、長期にわたり日本在住

⬇礼儀正しさ、他人への尊敬、勤勉さ、チーム貢献に気持ちを持つ。
⬇信頼性が高い。
⬇伝統を重視する。
⬇常に高レベルを目指す。

B氏　建設・建築系弁護士、米国高速鉄道協会元メンバー、日本建設業に精通

⬇芸術のレベルが高い（葛飾《かつしか》北斎、村上隆など）。
⬇勤勉さ・親切さ・礼儀正しさを持つ。
⬇高性能の製品を作る（エレクトロニクス、車、高速鉄道など）。

K氏　フロリダ州立大学元公共政治学部長

➡人の話を聞く耳を持つ。

➡世界的な宗教の影響下にないので、宗教的な判断基準に縛られておらず、科学を基礎に物事を受け入れる。

➡基本的には政府を信用する。コロナ禍の際には社会への配慮から、政府のワクチン政策やマスクの奨励を受け入れる人が多かった。マスクについては、旧来から感染症防止のため主体的に着ける習慣があった。アメリカでは政府を信じない国民が多く、それが高じるとドナルド・トランプを大統領に選んでしまうような事態が起きる。

➡近代経済学と教育の重視が経済成長を可能にした。

➡家族愛や次世代の教育などにおいて、孔子（儒教）の教えの良い部分を身に付けている。それはカリフォルニア州における日本人移民社会とメキシコ人移民社会の違いに顕著に表れている。

アメリカのエリートの日本観

- 日本人は礼儀正しく、勤勉で歴史を重んじる。ホスピタリティがあり他人への思いやりがすばらしい。
- 芸術を重んじる。街が美しくゴミがない。
- アメリカのキリスト教のような世界的な観点からの宗教は日本にはないと思われる。結婚式を教会、神社、お寺、ホテルで行なう習慣は世界的な宗教観では理解できない。孔子（儒教）の教えが日本人の生活の基本のようだ。
- 個人よりも組織への思いが強い。

ヨーロッパのエリート六名の答え

B氏　フランス政府財務省高官、国連PPPのフランス代表

➡礼儀正しい。
➡組織化されると強みを発揮する。
➡美への追求心が旺盛である。
➡頭脳明晰で技術革新を遂げた国民である。

N氏　ポルトガルの大学教授、国連PPPアドバイザー、世界で活躍する開発系コンサルタント、世界の多くの大学で開発とPPPの講師を務める

➡自然との共存を大事にする。
➡伝統・歴史・文化を尊重する。

➡未来志向が経済成長を導いた。

Ｊ氏　イギリス財務省高官、ＰＰＰ／ＰＦＩ専門家

➡高い知能と創造性がある。

➡他人に思いやりと尊敬を持って接する。

➡親切心や上品さを大切にする。

➡自然に対する感性が鋭い——芸術性、文化性、技術性がすべて高い日本食や日本庭園はすばらしい。フィジカルにもメンタルにも自然との共存を試みる。


Ｓ氏（女性）　トルコ政府高官、国連ＰＰＰ専門官委員会幹部

➡規律正しい。

➡正直であり勤勉である。
➡分析力に優れている。
➡名誉を重視する。
➡他人の尊重を忘れず、親切である。

Z氏　レバノン、アメリカ、ヨーロッパ在住、世界PPP協会会長、世界でPPPの発展に従事、次回政府選挙でレバノンでの出馬を検討

➡礼儀正しさと親切心がある。
➡他人の考えを受け入れる、他文化を尊重する。
➡勤勉であり、高品質志向である。

B氏（女性）　トルコの弁護士、PPP専門家、現役の大学研究所スタッフ

⬇謙虚である。

⬇伝統を重んじる国民性である。

ヨーロッパのエリートの日本観

- 日本人は謙虚さを抱いている。
- 美を追求する姿勢への共感がある。
- 伝統文化を重視し、自然との融合を考える。
- 組織に対して誠実であり、他人に対しては礼儀正しい。

アジアのエリート一〇名の答え

マハティール閣下　元マレーシア首相

➡愛国心、規律、忠誠心など、他の国とは比較できない価値観がある。

➡勤勉である。

➡恥を恐れ、やることすべてに完璧さを求める。

K氏　マレーシアの大学教授、プロジェクト管理とPPPの専門家

➡伝統文化を重んじながら、近代性を追求する。

J氏　インドネシアの大学教授、都市開発とPPPの専門家

⬇礼儀正しく、他を尊重する。
⬇個人の興味より協力協同関係を優先する。
⬇共通目的のためのチームワークを重視し、チーム内での自分の役割を全うする。

N氏　ネパールの大学を卒業、日本の大学院を修了後日本企業勤務

⬇礼儀正しく、他を尊重する。
⬇勤勉に働く、時間に忠実、信頼性が高い。
⬇所属するグループへの貢献に重きを置く。
⬇物事の詳細にこだわることから、もてなしや顧客サービスが優れている。
⬇災害時には歴史的経験から国民が一つになる。

R氏（女性）　中国の大学を卒業、日本の大学院を修了、中国・日本で事業を展開

➡他人への迷惑を考えて行動する。
➡清潔な社会システムを形成し、ルールに従順である。
➡エチケットを意識している。
➡シニアなどの弱者に優しい。
➡伝統文化を重視する。
➡信頼や責任を大事にし、儒教にもとづく生活観を持つ。

F氏　中国の大学を卒業、日本の大学院を修了、日本で就職

➡几帳面である。

➡ルールを守る。

K氏　中国の大学を卒業、日本の大学院を修了、日本で就職

➡伝統文化を重視する。
➡物事の詳細にこだわる。
➡礼儀正しい。
➡個人プレーよりチームワークを大事にする：野球、バスケットボール、サッカー。

K氏　台湾の政府と自治体で要職を歴任、PPP協会幹部

➡勤勉である。

⬇ゴールに向かってチームで努力する。
⬇外国人への関心はあまりないが、フレンドリーである。

S氏　パプアニューギニア政府高官、日本の大学院修了

⬇勤勉であり、正直である。

I氏（女性）　バングラデシュ政府役人、日本の大学を卒業

⬇礼儀正しい。
⬇経済開発が得意。

アジアのエリートの日本観

- 礼儀正しくフレンドリーな国民である。
- 所属するグループへの忠誠心があり、個人よりチームを大事にする。
- シニア層を敬い、他人を尊重する。

アフリカのエリート四名の答え

A氏　マラウイ政府高官、日本の大学院修了

➡対立を嫌い、互いに尊敬し合う。
➡静寂を好む。

K氏　南アフリカ共和国財務省職員、JICA（国際協力機構）研修で来日しPPPを学ぶ

➡都会でも地方でも国民に協調性が見られる。
➡歴史的人的災害（戦争）への反省がある。
➡自然災害への対応（中央、地方政府の活動）が優れている。

S氏（女性）　ソマリア政府職員、JICA研修生として日本の大学院修了

➡安心・安全への心配りが細かい。
➡法律を尊重する。

C氏　ナイジェリア政府職員、JICA研修で日本の大学院修了

➡規律を重んじる。
➡勤勉である。
➡個人を尊重し、礼儀正しい。
➡細部へのこだわりが高性能の製品を生み出す。
➡日本の伝統、芸術、食文化は世界で認められている。

アフリカのエリートの日本観

- 協調性があり和を重んずる。
- 静寂を好む。
- 自然災害対応がすばらしい。
- 勤勉で、高い生産能力を持つ。

日本のエリート四名の答え

H氏　日本の大学を卒業、大学院修了、フロリダ州立大で博士号取得中、政府系の組織の一員として海外在住

➡和を重視し、チームで助け合いながら努力する。

➡物事の検証にあたっては、さらに効率的に成果を上げる方法を探る。

K氏　日本の大学院博士課程修了、日本企業勤務、国連PPP推進局コンサルタント

➡歴史的、民族的、言語的、文化的な同一性を持つ。

➡農耕文化が生活の基盤となっており、災害時には集団での行動を重視し、落ち着いた行動がとれる。

I氏　日本の国立大学を卒業、大学院修了、外務省系組織勤務、オーストラリア在住

➡自然との共存、他人との共存を基盤とする文化を持つ。

➡大航海時代以降も西洋からの侵略を許さなかった（第二次世界大戦で敗戦国となり、不安定化した）。

T氏（女性）　日本の大学を卒業、大学院修了、外務省系組織勤務、エジプト在住

➡中東の人々は、日本人は約束を守る、仕事熱心、信頼できる国民だと言う。

➡中東では、日本製品は高性能だと評価されている。

日本のエリートの日本観

- 歴史的・民族的・文化的同一性を持ち、和を重んじる。
- 自然との共存を志向する。
- 約束を守ることを美徳とする。
- 文化度が高く、高精度の製品製造が得意である。

【アンケート2】日本人の弱点と思われるところとは

アメリカのエリート九名の答え

S氏

⬇コンセンサスによる意思決定は良い時もあるが、ベストな結果を生まない場合も多い。決定に時間がかかりすぎる。

⬇世界レベルで見て高齢化が最も進んだ社会でありながら、ワーカーとして移民を受け入れない姿勢が、問題解決を難しくしている。

⬇世界を学ぶ教育が遅れている。世界をもっと知るための教育カリキュラム、留学、交流が必要である。

➡女性に対する意識変革が遅れている。

➡外国人への偏見が強い。

C氏

➡対立することを避ける行動が、個人の意見がどこにあるかをわからなくしている。このことから、時には正しくない合意が起こる。

➡ヒエラルキー意識の強さが、情報の流れを悪くしている。

➡対立を嫌うことで、新しい革新的アイデアが生まれにくい。

➡民族的にあまり多様でないことが社会の多様性を妨げ、問題解決の糸口を見つけにくくしている。

D氏

➡個人中心の側から考えると、グループ中心の考え方の弱みが見える。西洋では個人主義によるプレッシャーが、より良い製品や成果を生んでいる。これが革命的なものを創造する源泉になっている。

Z氏

➡社会がコンサバティブ（伝統的、古い）すぎる。
➡個人が突出することが許されないグループ主義である。

M氏

➡本当の考えを他人とシェアしない。
➡自分の意見を外で表現しない。
➡人見知り傾向が強く、知らない人とディスカッションしない。

R氏

➡戦後日本をつくり上げたシステム（政府、企業）への信頼が強すぎて、地方、中央政府、企業で新たな変革による経済開発や発展が生まれにくくなっている。

H氏（女性）

➡チーム内でのコミュニケーションが取りにくい。
➡小さなアイデアでも詳細な資料にもとづく説明を必要とし、進めるのが難しい。

➡失敗したくない思いが強い。それゆえ、失敗しても責任を取らない。

➡システムに従うべきという意識が、仕事に悪い影響を及ぼしていることもある。

B氏

➡戦時中から続く帝国主義（対アメリカ、韓国、中国）的な考え方がまだ残っており、それがネガティブな影響を社会に与えている。古いことだが、すべてがなくなってしまったわけではない。しかし戦後の経済発展によって、日本は世界、アジアへの貢献を行なった。日米関係はこれからアメリカが対峙する中国との関係、台湾問題でも重要な役割を果たす。

K氏

➡アメリカ人から見て日本人の島国性、集団主義、個人が尊重されにくいこと、これらのコンビネーションが弱みと見える。

➡日本の教育制度は世界的に見ても優れており、世界の多くの情報を得て学んでいるが、多くの国民は世界との交流体験がなく独自の世界で生きているように見える。教育を受けている日本人でも海外の人たちと交歓する能力が不足している。会話ができない人が多い。海外との交流がないことから、世界の民主主義への貢献があまりできていないようである。

➡過去の暗い歴史（戦争、日韓問題など）を表に出したがらないなど、政治的には非常に封建的である。
アメリカでは国の暗い歴史、奴隷問題、ネイティブアメリカン問題、黒人問題なども隠さず教える方向になっていることで、国民は真のアメリカを知っている。逆に日本では過去の暗い部分を隠すことで国民が正しい国の歴史を理解していない場合が多い。このことは、民主主義の基本が徹底されていないとも言える。

一九二〇年代から一九四〇年代の日本の歴史について、コンサバティブな政治家、リーダーが非現実的楽観主義で国民に教えるため、日本人は韓国人、中国人が日本人に対して持つ憎悪を理解できない。

同じ枢軸側だったドイツでは違うアプローチをしており、ドイツ国民は暗い歴史を繰り返してはいけないと理解している。ゆえにドイツは、今ではEU圏のリーダーとして認められている。

最近の中国の台頭を踏まえ、日本は民主主義のリーダーの一員になる必要がある。日本がドイツのように暗い過去に対する正しい認識を持ち、韓国と連携しなければ、真の民主主義はアジアでは生まれない。それなしでは中国の覇権主義がアジアを支配することになる。

アメリカのエリートの日本観

- コンセンサスが必須であるため、意思決定に時間がかかる。

・労働者が足らないのに移民を受け入れないのは不合理である。
・世界とズレているのに世界を学ぼうとしない。
・失敗したくない思いが強くリスクを取らない。
・女性に対する意識改革が遅れている。
・過去の暗い歴史を国民に正しく教えない。

ヨーロッパのエリート六名の答え

B氏

⬇完全性を求めるがゆえに、人前でものが言えないシャイな人が多い。
⬇外国語ができないことに劣等感を覚えており、外国人の前で意見を発表できない。

N氏

➡世界の目線でものを見られる少数の日本人は海外でも尊敬されているが、多くの日本人はそれができない。

J氏

➡弱点とまでは思わないが、国内では日本語のみで生きていけるからか、海外に出ると口数が少なくなり、シャイ、無関心、冷淡と見られることが多い。

➡何事も勉強し、慎重に対応する文化は外からは内向的と見られる。

S氏（女性）

➡他の先進国と比較して、女性は外に出ないと思われる。

➡勤勉すぎることで人生を難しくしている。

Z氏

➡日本人は自慢することや、エゴを主張することを嫌い、自分を表に出さないように行動する。現代の社会は、大きな声で話す人が世間の興味を集める社会であるから、日本人には不利である。

B氏（女性）

➡日本に誇りを持っているから、日本に関してはいろいろ考え、関心を持つが、外国への関心が薄い。海外への好奇心は知的な成長につながるのに、もったいないことである。

➡メディアから日本語での情報は得られるが、英語力の弱さが世界の情報に疎くなる原因になっている。

ヨーロッパのエリートの日本観

- 外国語で話せないことが、内向きな世界観や海外に対する興味の薄さ、外国メディアからの情報収集力の弱さなど多くの不利を生み出している。
- 集団の中で目立つことを嫌うため、外国人社会では損をしている。
- 女性に対する意識改革が遅れているが、女性側も積極的に表に出ようとしない。

アジアのエリート一〇名の答え

マハティール閣下

⬇世界の見方が厳格すぎる。

K氏

⬇国民の内向性が外国人との付き合いを難しくしている。

⬇英語力がなく、外国人観光客とも接することが難しい。グーグルでは島国根性と言っている。

⬇神社、仏閣が多くあるにもかかわらず、精神的な宗教信者が少ない。

➡ヒンズー教、イスラム教をはじめ、宗教に対する知識が薄い。

➡生き方が仕事中心になっている人が多く、家庭・家族とのバランスが取れていない。

J氏

➡働きすぎである。長時間労働が国民に多くのストレスを与えている。

➡組織、チームなどの協力共同関係が第一であり、それが時に、他人への尊厳、礼儀、個人の意見の尊重を損なうことがある。

➡インドネシア在住の日本人は、日本人同士で固まり、インドネシア人との付き合いがない。

➡日本の男女間には役割分担がある。たとえば母親が子供の面倒をメイドに任せる習慣はない。都心に近い団地住宅から通勤することで、仕事と家庭のバランスを保っている。決して悪いとは思わない。

N氏

➡英語力がなく、コミュニケーション問題を抱える。
➡個人の意見を外に出さない。
➡仕事中心で個人生活とのバランスが悪い。
➡考え方が多角的ではなく、内向的である。
➡ヒエラルキーへの意識が強い。年長主義（年寄り重視）である。

R氏（女性）

➡長所として伝えたポイントが、弱点にもつながる。内向的で自信を持っていないように外からは見える。表現も明確にしないため、理解するのが難しくなっている。外国人のように直接的な表現で明確な意見表明をすれば理解しやすくなる。これは日本人の一般的印象を変えることになる。

F氏

➡考え方が固い。よって時代遅れになる。

K氏

➡伝統文化を重視しすぎることで、改革、革新が起こりにくい。
➡話し方が素直でない。自分の意見をはっきり発表できない。
➡礼儀のような決まり事、慣習が多すぎて、効率を悪くする。

➡細かいことにこだわり、仕事の進展が遅くなる。
➡中国、韓国も同じだが、仕事、家庭でのストレスが多く、解消方法が少ない。

K氏

➡イニシアティブを取るのが苦手で、命令に従うのが一般的。
➡個人間の人間関係を作ってからビジネスに入るから時間がかかる。でもその後は効率よく仕事ができる。

S氏

➡多くの日本人は英語を話さないため、外国とのコミュニケーションや仕事には不便になっている。

I氏（女性）

⬇外国人から見て、言葉の問題が最大の弱点になっている。

アジアのエリートの日本観

・自分の意見をはっきり言う人が少ない。
・仕事が人生の中心で、個人生活とのバランスが悪い。
・英語が話せず、外国人とのコミュニケーションが取れない。
・宗教を信じている人への理解に欠ける。

アフリカのエリート四名の答え

A氏

➡シャイで内向的。英語で話すことを嫌う。

K氏

➡他の文化への協調性に欠ける。たとえばアメリカ、ラテンアメリカ、少数ではあるがアフリカの人たちは、人前でも大きな声で話したり、はしゃいだりする。しかし日本人はこれを好まないようで、そのような場においても同じようにすることはない。

➡外国人を差別する傾向がある。たとえば、外国人は日本では家を借りるのが難しい。

S氏（女性）

➡社会システムに従順でそれを変えようとしない。

➡外国人が個人的な関係をつくるのが難しい。

➡語学力の問題で難しい会話ができない、だから個人的にも社会的にも親しくなれない。

C氏

➡シャイなためか、個人表現をしない。

➡古いシステムに従うので、新しいアイデアが生まれない。

・シャイで内向的な国民性により、本音や本質が外国人に理解されにくい。
・英語を話せる人が少ない。これが、外国人とのコミュニケーションに必要な個人表現ができない原因になっている。
・社会システムが古すぎて、新しいアイデア、改革が生まれない。

日本のエリート四名の答え

H氏

↓失敗することをよしとしない。だから、チャレンジの積み重ねの末に可能になるイノベーションが生まれない。

K氏

⬇長所の反面が短所になる。外国人が日本人を理解することを難しくしている。

I氏

⬇周りを気にしすぎる。周りの意見（社会）に従ってしまう。社会のプレッシャーが強く、それが自分の否定、抑制につながる。イノベーションを起こすという面ではこれらが障害になっている。

T氏（女性）

⬇言葉の壁を乗り越えられていない人が多い。

➡期間内での目標達成を重要視するあまり、漸進《ぜんしん》的な方策が軽視される。途上国では長期的な計画を立て、ゆっくりとした発展を目指したことにより、結果として日本より進んだ状況をもたらしているケースもある。

➡失敗を恐れずに試行して、経験を積み上げる力に欠けている。

➡争いを嫌う文化のせいで、意見交換によって建設的に議論することが下手になっている。

日本のエリートの日本観

- 失敗を恐れてチャレンジしない。
- 英語をマスターして外国人に自分たちの意見を伝える努力が不足している。
- 異端や異論に対する社会のプレッシャーが強い。
- 短期的、効率的な方法を好み、長期的、漸進的な方法を苦手とする。
- 意見を対立させて議論するのを好まない。

■フロリダ州知事を驚かせた私の離れ技

アンケート1と2に対する答えの中に、世界のエリートたちの日本人に対する印象が浮き彫りになっている。中でも頻出しているキーワードは、「内向性」であろう。「仕事をする前に親しくなりたがる」「人見知り傾向が強い」など、さまざまな表現で彼らはそれを語っている。

こういった日本人の特徴をよく表しているエピソードがある。首相官邸をめぐる話である。冒頭から私の手柄話になるので恐縮ではあるが、それを紹介することから始めたい。

一九七八年、私はフロリダ州政府の商務省に勤務していた。時の州知事ルービン・アスキュー（元全米州知事会会長）は、日本企業の誘致活動のため、日本を訪問した。これは、州知事としての初のミッションであった。アジア課長である私も、その首尾に責任があり、同行していた。

アスキューは、自身の次のステップとして国政への進出を目指しており、この機会を利用して、福田赳《たけ》夫《お》首相に面会したいという意向を持っていた。それを汲んだマイケル・マンスフィールド駐日米国大使は、在米日本大使館を通じて首相官邸訪問の希望を伝えた。州としても親善のしるしに、書道好きの福田首相へのお土産として州の紋章が入った文鎮（ペーパー・ウェイト）を準備して、いい返事を待っていた。

しかし、時は二月で、折悪《おりあ》しく予算委員会の最中である。福田首相は国会に詰めており、確約できるアポイントが難しいという返答が来た。ちょっと困った事態になったのである。

そこで私は一計を案じた。実兄のルートを使って、地元石川県選出の瓦力《かわらつとむ》衆議院議員を紹介してもらったのである。

私の話を聞いた瓦議員は、福田首相の秘書に電話をして、つれない返事の理由を聞いてくれた。それで、官邸としてはフロリダ州知事という要人の訪問に対し、きちんと対応できないリスクを考えて、断らざるを得なかったという事情が判明した。また、そういうことであれば、明日の審議の休憩時間であれば時間を取るという返事をもらった。

ルービン・アスキュー（フロリダ州知事時代）

この報告を聞いたアスキューは半信半疑であった。アメリカのエリートである彼の常識では、首相官邸が最も重視するルートで申し込んで断られたのに、留学生上がりの一課長にすぎない私にそのような離れ技ができるとは考えられなかったのであろう。しかも、これは口約束である。

しかし、翌日、「午後三時にマンスフィールド大使の車で官邸に来てくれ」という電話が本当に瓦事務所から入るに及んで、驚くとともに大そう喜んだのであった。

福田首相は、会見に同行した瓦議員に顛末《てんまつ》を聞いて、私にも直接声を掛けてくれた。アスキューは件《くだん》の文鎮を首相に手渡すことができ、首相から、

「私は毎朝習字をします。これはいいものをいただきました」

という言葉を得ることができた。同行した州の商務長官は、

「この文鎮を使う時に、いつもフロリダ州を思い出してください」

と言葉を添えた。

アスキューやマンスフィールドのようなアメリカのエリートたちは、文字通りエリート社会で育ってきている。若い頃から指揮統率する者として生きてきた彼らには、日本のような、「まあまあ」「なあなあ」で通じる感覚がない。そのような矜持《きょうじ》を持った生き方は、それはそれで立派なのだが、この場合のような、ある意味「なあなあ」のやり方は受け入れにくいのだ。この「なあなあ」の中でなんとかする世の中や人間関係を形成してきたのが日本人

の一面なのである。大学卒業まで日本で過ごした私の、この「あいまい」の使いこなしが、この時には功を奏したということだ。

このアクションにより、アスキューは、「彼は単なる留学生上がりではない」と思ってくれたかもしれない。この時の私の行動も、後で話す二文化のギャップを埋める手法の一つと捉えてよいのではないか。

アメリカのエリートたちが日本人の優れている点として挙げた中に、「宗教的な考え方に縛られていない」ことによる思考の自由さがあるが、このような、正規ルート以外のアプローチも通用するという臨機応変性が、日本社会には確かにあると言えるだろう。

日本では、一旦「ノー」と言われても、すぐに諦めてはいけないのだ。しかし、それは身内の中だけで通用するルールがある、ということでもある。これは、次節で述べる「ジャパニズム」の一つの側面であると言えよう。

■日本社会の向上を妨げる「ジャパニズム」

世界を知らない、英語が話せない、社会システムが古いなど、世界のエリートたちが日本の弱点として挙げているが、日本の社会の中でだけならば、日本人にとってさほど不都合はない。グローバリズムが常識になる以前は、アスキューが日本企業の誘致に来た頃のように、日本企業はお客様として海外に出て行き、質が良くて安価な製品やサービスを提供して喜ばれ、外貨を稼ぐことができた。

しかし、もうそのような時代は終わってしまった。世界中の人々が皆、スマートフォンを持ち歩く今、日本企業が苦しんでいるのは世界レベルのニーズに対する創造性の不足である。バブル時代までは競技場のトラックで気持ちよく先頭を切っていたが、グローバル社会というロードレースになったら、たちまちスタミナ切れでどんどん追い抜かれているという具合だ。大卒の初任給は三〇年変わっていないのだ。

企業だけでなく他の社会集団もそうだが、このような日本の現代世界における「生きづらさ」は、日本人がまだ安住していたい「ジャパニズム」と私が呼ぶ心理構造のようなものからきている。

「ジャパニズム」とは、これまで日本人であれば無意識にそうしてきた、考え方の「型」である。学生が企業に就職する時に、大卒であればだいたい二〇万円台の初任給だが、それに違和感を抱くことはない。住宅は戸建てなら四〇〇〇万円台ぐらいまでのものを三〇年前後のローンで買おうとする。昭和期のモーレツ主義を排斥しつつも、それで大いに成功した経営者たちは偉いと思っている。そして親になれば、そのような社会で子供が有利になるように偏差値の高い学校に入れたがる。このような定型化された思想、システム、文化にだいたいの日本人は進んで従っていく。そしてこの同じ価値観のフィールドで競争し、優劣を競おうとする。

たまにこのような「型」に従わない人がいると、その人は「変わった考えの持ち主」ということになる。コミュニティの中で、「自分の考えのある人」というようなプラスの評価をされることは少ない。逆だ。世界を変えるにはこのような変わった考えを持つ人が必要なのだ。

この、無意識のうちに社会の本質的な変化を望まない「ジャパニズム」が、まさに現在の日本の停滞をもたらしている元凶だと思うのである。ここから脱却しなければ、明るい日本という未来はないだろう。だんだん生きづらくなる中で、同じことを繰り返していくだけになる。

ぜひ、日本人、特に若い日本人はジャパニズム脱却で新しい日本づくりに貢献していただきたい。

■日本人の礼儀正しさの背景に見えるもの

アンケートの結果では、どこの地域のエリートたちも、「日本人は礼儀正しい」と評価している。もちろん礼儀正しいことは悪いことではない。野蛮だ、がさつだと言われるような人々が目立つようでは困る。しかし、この礼儀正しいということの背景にも、「ジャパニズム」が潜んでいると思うのだ。

皆が同じような価値観で競いあっている社会では、他人に違和感を覚えさせるような言動はマイナス評価につながりやすい。「何か違う」と思われればおのずと距離を置かれる。周囲からのアプローチも減り、情報が入りにくくなる。だから、称賛される形以外では決して目立ちたくはなくなるのである。世の中のルールを守り、人には礼儀正しく接し、変わった人だと思われないようにするのが無難な生き方だ、という思考の成り立ちが、アンケートの答えに例外なく出てきたということである。

「型通りに」生きていくのが無難だという日本人の精神構造の中核は「礼儀正しさ」なのではないか。「型」の範囲内で、自分のやりたいことを選択しそれで上に行けるように努力するというのが暗黙のルールだとしたら、ウォークマンはつくれたが、スマホは発想できなかった理由がわかるような気がする。

日本社会で上に立つには、「ジャパニズム的に」信用を得ることが重要だ。反感を買ったり、違和感を持たれたりするような人物は、上に立とうとしても下から支持してもらえない。よく選挙のポスターなどで、「庶民派」、「主婦の声」などというキャッチコピーが見られるが、「ある知識と経験が豊富な私が、このような政策で世の中をこのように変えます」というような独自性のある訴えかけはほとんど見られない。熱く語りかける人物よりも、にっこり微笑んで親しみを感じさせる人物の方が当選しやすい。タレント候補が重宝されるのもよくわかる気がする。

アメリカではGo out of Box（常識から外れた行動をとる）が推奨される。ビル・ゲイツ、スティーブ・ジョブズはコンピューターの分野で世界を変えた。彼らは決して皆と同じことをしていたのではない。

■アメリカのエリートはピラミッド社会の頂点の精鋭

私は立教大学卒業後にアメリカに渡り、フロリダ州立大学で大学院生活を送った。今でいう「就活」をしなかったのである。学部時代に読んだローマ・クラブの『成長の限界』や、シューマッハーの『スモールイズビューティフル』を読んで感化され、世界の天然資源の需要供給予測に関する卒業研究をしているうちに、このままでは世界の未来は暗いことがわかってしまったのである。かつ、世界の明るい未来をひらくための可能性の研究をしてみたいと考えた。在学中にアルバイトをしていて、就職先としてあてにしていい商社もあったことで、家の者はもちろんアメリカ留学に反対した。私は本気で勉強したかったので、出発前は兄の会社などでアルバイトを行ない、貯金をして渡米に備えた。渡米後も夜に工場で働いたり、休み中はカントリークラブでウェーターをやったりしてお金をつくり、アメリカの大学院に挑んだ。周囲はアメリカに遊びに行くのだと思っていたようである。だから、潤沢な援助はもらえず、サッカーチームのトレーナーや柔道のコーチなどのアルバイトをし、奨学金をキープするために必死で良い成績を勝ち取るという大学院生活だった。

そのような生活の中でわかったのは、アメリカ社会でリーダーになってゆこうと志す人は、日本の学生たちが歯が立たないほど勉強しているということであった。奨学金を受けるために良い成績を取る必要があった私は、図書館が閉館になる夜中まで毎日予習やレポート書きをしていたが、それは全く珍しい行動ではなかった。というか、それが当たり前で、そのぐらい真剣に取り組まなければ周囲についていくことがままならないほどレベルが高かった。

アメリカ社会は日本のような「台形」ではなく、ピラミッド型である。だから、上に行くほど精鋭化し、想像を絶するほど優秀である。その背景に、大学や大学院での厳しい学問がある。次の日の講義を受けるだけのために、前日に三〇〇ページ、四〇〇ページ（学期で二万五〇〇〇ページ）の論文を読みこなしておかなければ相手にされない。そのハードワークはもはや、頭を使って戦う軍隊の訓練のようでさえある。三〇〇ページ読んで、日本のように内容をまとめるだけでは奨学金はキープできない。そこから独自のアイデアを考えねばならない。レポート一つを書くにも独創性が要求される。「覚える」「まとめる」日本の教育とは全く違う。独創性、創造性がなければ卒業もできない教育である。そういった苦難を乗り越えた者のみに、社会のエリートとしての資格が与えられるのだ。学問を修めていることの重みが、日本とは段違いなのである。そのことは知っておいた方がいい。

フロリダ州時代に私のボスだったアスキュー知事をはじめそのスタッフも、皆そうした人材だった。誰もが早朝からオフィスに出てきて仕事に励み、それが将来の自分が中心になって取り組むべき社会問題解決の下積み修業になっていた。私も同年代の日本人よりは真剣に働いていたと思うが、彼らとは意識のレベルが違ったという印象である。

彼らのようなエリートは、服装さえも異なる。いわゆるマディソン・ボーイズ・ファッションでキメているのである。これは、マンハッタンの中心部で金融関係の仕事をする、アイビー・リーグ出身エリートたちのスタイルである。マディソン街にはブルックス・ブラザーズがあるから、どのような服か想像がつくだろう。

私も、フロリダ州の商務長官（ジョンズ・ホプキンズ大学、ハーバード大学大学院、海軍中将、フロリダ州選出上院議員）から、話し方や服装のルールを教わった。カフスの付け方、夕方六時過ぎの公の場ではダーク・スーツを着ること、ネクタイの柄や結び方、靴選びまで事細かに教えてくれた。アメリカではこれもエリート教育の必修科目なのだ。日本では、上司が部下に何をどう着るかを教えることはない。

なぜこんなことをするかというと、アメリカのエリート社会では、厳然として見てくれで人が判断されるからである。彼らの間には、Perception is Reality（知覚は現実）という共通認識があり、それがライセンスになっている。社会に通用する服装さえもきちんとできない人は信用できないから相手にしないというのが彼らの掟《おきて》である。アメリカのような多民族の坩堝《るつぼ》の社会では「ボロは着てても心は錦」とか、「沈黙は金」とかの日本人が好きな精神論は考慮に値しないのである。

参考のために書いておくと、彼らの服装は一昔前のアイビールックから発展したものと考えてよい。ブルックス・ブラザーズのスーツ、白のポケット・チーフ、ボタン・ダウン・シャツ、レジメンタル・タイ、ローファー・シューズが、日本でも流行ったそれである。これがアメリカのエリートの装いの基本だ。たとえば今でも、バイデン大統領はトラッド（アイビー・ルックスの総称）でキメている。

一方、ヨーロッパのエリートはコンチネンタルというファッションで身を包む。コンチネンタルはアメリカのトラッドに比べ細身にできており、大柄な私には似合わないファッションである。だから、世界の政治家は格好がいいのである。

トラッド・ファッションのバイデン大統領

余談だが、ドナルド・トランプはおそらくアイビー・ルックの伝統さえ理解していない人物であろう。あのありえないネクタイを見れば一目でわかる。よりよい社会の発展のために尽くそうという矜持を持つエリートであるための教育を受けたことがない、人の上に立つ資格のない成り上がりである。彼が大統領になったのはアメリカ史の汚点だと私は考える。彼が勝ったのは伝統的に国を信用しないアメリカ人、ピラミッド社会の下層部分の、勉学をしないアメリカ人の支持を受けたためだが、それがどういう結果を生み出したかは見ての通りである。二〇二〇年で失敗は修正されたが、二〇二四年はどうなるだろうか。彼が返り咲いたら、世界はもう一度大変なことになると思うが、最近ハーバード大学特別功労教授のジョセフ・ナイ氏が、アメリカは盛り返せると発言していることを知り、少し安堵している。犯罪者である人間を大統領にしてはいけない。ニクソンはウォーターゲートで失脚した。

■ユダヤ人になぜ天才が多いか

世界のエリートたちは、日本人の多くが英語で会話ができないことを、日本人の弱点として指摘している。これは、日本人にも痛切に感じられることであろう。これを何とかしようとして、ついに小学生のカリキュラムにも英語の授業が取り入れられるようになった。

日本人の英語学習については、明治以来、欧米にキャッチアップする目的において、その思想や知識を取り入れることに主眼が置かれていたために、主として「読む」ことが重要であったという背景があった。難解な哲学や専門知識を読みこなし、正確に理解するためには、正しい文法で文章を解釈したり、作文することが第一であった。これが、日本人の英語における「ジャパニズム」である。

最近は外国人に引用される機会が減ったと危惧されているが、科学技術分野においては、日本人研究者は英語で数多くの論文を発表し、解説も行なっている。ファクトをロジカルに伝えるところまでは、これまでの学習の土台で何とか行けるということである。

問題は、個人から始まって、チーム、組織、国家という各段階での自己表現や意思表明だ。たとえ日常会話が英語でできるようになっても、これが英語でできなければ社会的意味は持たない。「自分をどう表現するか」という問題は、社会慣習や民族意識、思想や考え方の異なる人々と交流していく場合、常につきまとう。一朝一夕には解決しない問題ではあるが、フィリピン、マレーシアの例がヒントになる。この両国では小学一年から英語で科目を教える。彼らは「英語はモノを学ぶ手段」だと教育する。そして、彼らは一世代で英語をマスターしている。私の教え子でも、一日一時間必ずCNN、BBCを見ることを実行した学生は、一学期でほぼ私の英語の授業が理解できるようになった。英語は決して難しい言語ではない。日本の英語教育が遅れているだけなのだ。

世界は現実的に見て英語と欧米の国々の文化を基準としており、それが急激に変わるということはない。習近平の中国、プーチンのロシアなど、危険視される存在はあるが、もしそれらが世界の覇権を握ったとして、彼らが世界に中国語やロシア語を強制しても不便になるだけである。

このような世界の中で、私たち個人がどのような考え方を基本に持っているとよいのか。そういう意味で、私が影響を受けたある科学雑誌の記事がある。それを紹介したい。

アルベルト・アインシュタイン

フロリダ州で仕事をしていた頃、プリンストン大学で物理を研究していた生前のアルベルト・アインシュタイン博士にアメリカの科学雑誌のレポーターがインタビューした記事を読んだ。その印象的な部分はこうである。

レポーター：私は科学雑誌の記者ですのでアインシュタイン博士の相対性理論は勉強してどうにか理解できるようになりました。しかし、理解できないのはどのようにして博士がその理論に到達したかです。教えていただけますか？

ア博士：私はそのような質問を前にも受けたことがあります。自分なりに考えてみました。

一つの答えを出しました。
あなたはアメリカ人ですね、たぶん私の答えは理解できないでしょう。

レポーター：それでも教えてください。

ア博士：私はドイツのユダヤ人の家庭に大戦前に生まれ、アメリカに移住して研究を続けている物理学者です。

レポーター：それは知っています。それで答えは？

ア博士：それが私の答えです。

レポーター：確かにわかりません。

私にはこの記事を読んだ時にピンと来るものがあった。
アインシュタインは、戦前にドイツのユダヤ人の家庭で生まれ育った。つまり、ドイツ語、ユダヤ語（ヘブライ語、イエデッシュ語）を理解し、その二つの言葉と習慣を通じて、ドイツの歴史、文化、価値観、思想、社会を学ぶとともに、ユダヤの歴史、文化、価値観、思想、社会を理解していた。ナチスが政権を取った後にアメリカに亡命、原子爆弾開発をフランクリン・ルーズベルト大統領に進言するなど、物理学の最先端で常に活躍してきた。そのためには英語を理解し、アメリカの歴史、文化、価値観、思想、社会、世界の状況の理解が必要であった。アインシュタインが言っているのはそういうことである。

読者はこの記者と同じように「だから?」となるだろう。日本人にとっては繰り返し述べている「ジャパニズム」が、彼の言わんとすることをわからなくするのである。

私の解釈はこうだった。

私は石川県の能登地方で生まれ、能登の歴史、文化、価値観、社会を理解し能登弁で一六歳まで育った。東京に出てからは東京弁、標準語、また都会の常識など多くを学ぶ必要があった。その後また、留学でアメリカを学ぶ必要があり、アメリカ英語（南部弁も含む）をマスターする必要があった。それぞれの歴史、文化、価値観は違い、これらをマスターしないとその社会では生活できないし、受け入れてもらえない。私は南部のフロリダ州で生活していたが、同じアメリカでも西部、東部、中西部にはまた異なる価値観があり、南部が理解できてもアメリカを理解できるわけではないことも学んだ。

フロリダ州知事室で働くようになると、それらを十分に理解して初めて、日本出身の補佐官としての仕事が可能になると考えた。日本との仕事の際、アスキュー知事はよく私の通訳に関して、「なぜ君は、私が一分かけて説明したことを一〇秒で説明できるのか」、また、

「私が一言で言ったことを、なぜ相手に長い時間をかけて説明するのか」と不思議がった。

アスキューはアメリカ人である。たとえば日本で「ナイター」と言えば、特に説明はいらない。だが、英語にするとBaseball's night game（野球のナイトゲーム）と説明しなければならない。このギャップがわかる人でないと、両者をつなぐことは難しいのである。アメリカ南部には、「ピッタリとくっ付いている」ことを、a hair in a biscuitと言う人たちがいる。商務省時代の上司がその表現を使った。しかし、日本人はビスケットの中に髪の毛が入っているなんて汚いと思うだけだろう。アスキューには私がなぜ福田総理との会見をセットできたのかわからなかったのであろう。

アインシュタインが相対性理論に至った思考過程についても、そのギャップの理解ができるか否かが問われるから、彼は記者には理解できないだろうと言ったのだろう。

この社会通念のようなもののギャップを理解することが多文化を理解することと思い当たり、それでピンと来たのである。とはいえ、アインシュタインの本心については、私の理解が正しいかどうかはわからない。仮にアインシュタインに訊ねても、あえて説明していないのではないかと思う。

さらに、アインシュタインの記事を読んだのと同じ頃、ニュージャージー州アトランティ

アイザック・アシモフ

ック・シティ（ラスベガスに次いでギャンブルで有名）での夕食会で、アイザック・アシモフ夫妻の隣に座る機会があった。

SFファンの方はご存じだろうが、アシモフは、サイエンス・フィクションをはじめ、推理小説、映画脚本、子供の童話、宇宙映画など多くの分野で活躍した天才である。有名な映画『ミクロの決死圏』のノベライズを手がけたといえば、年配の方にはわかるだろうか。彼はその日のメインゲストであった。その会を催した団体の代表をしていた役得で、隣に座り会話できたのである。

地上にチューブを作り半真空にしてマグレブを走らせると時速三〇〇〇キロは出せるであろう、宇宙には細菌がいないからパンデミックは起こらない、空飛ぶ円盤のエンジンはどんな仕組みだと思うかなど、話がはずみ、あっという間の二時間であった。

アシモフもアインシュタイン同様、ユダヤ人（ロシア生まれ）で多くの人生経験、勉強を経てきた人だった。彼との会話を通じても、複数の歴史、文化、価値観、思想、社会を理解することが、新しい創造につながることを学ぶことができたと思う。一つの組織や一つの国の歴史の流れの中だけで物事を考えても、全体に通じる創造は生まれないことを再確認できた出来事であった。

■日本人が「ファースト・ペンギン」になるために

各地域のエリートたちが口をそろえて言っていたもう一つの日本の弱点は、「失敗を恐れてチャレンジしない」ということである。

精神論になってしまうが、この章の最後に触れておきたい。

Z世代と呼ばれる最近の若者たちは、さらにこの傾向を強めているのだそうである。企業のオフィスでは、上司のアバウトな指示が原因でミスを起こした若手社員が、傷ついて辞めていったりするということで、これまでの職場の常識との感覚のズレに悩んでいるということもよく聞く。優秀な人であればあるほど小学校から受験勉強をし、問題に対し正解を出すことが求められてきた彼らは、確とした正解のない場での対応に時間がかかるらしい。

これまでサラリーマンと呼ばれてきた人々の典型は、官僚と銀行員であった。彼らの就職後の人生は、減点法で評価されてきた。失敗しない人が優秀とみなされたのである。

一方、ビル・ゲイツは、自身も事業化で失敗しており、失敗した経験を持つ人が好きだとも言っている。

もうさすがに古い言い方になったが、長時間労働、年功序列、滅私奉公など、ひたすら我慢して生きていくイメージが、勤め人にはつきまとっていた。こういう人たちが、自分のキャリアに傷を付けない方法をあれこれと考案してきたから、それが子供の教育にまで伝染し、頭は優秀だが、行動が鈍い人材が増えてしまっているのかもしれない。ちなみに聞いた話では、このZ世代の人たちは、資料作成やプレゼンテーションなどは上の世代とは比べ物にならないほどうまく、語学もかなりできるということである。

こういう若者たちには、勝海舟の『氷川清話《ひかわせいわ》』を読むことをお勧めしたい。勝海舟は、江戸幕府の幕臣でありながら、外国の知識を積極的に吸収して武士の世の終りを予測し、江戸城の無血開城を可能にした賢人である。

この勝海舟がすごいのは、「必要なことは実行する」という精神だ。彼の談話を筆記したこの『氷川清話』を通じて、その大切さを学ぶことができる。

勝海舟は幕臣だったから、貿易が許されていたオランダの人や物や知識に触れることができた。もっとよく知りたいとなった時に人は何かの本を探すが、当時はそれが無かった時代である。ただ、蘭学者たちが虎の巻にしていた『ヅーフ・ハルマ』というオランダ語で書かれた百科事典はあった。彼は、この全五八巻もある事典を借り出して全巻筆写したのである。ここまでやれば、おそらく専門の蘭学者たちよりも語学も知識も上をいく存在になってしまったに違いない。

『氷川清話』の中で彼は言っている。

「事を起こすにはまず一〇年やってみな。でなければ結果はわからないよ」

この一言は、私の座右の銘になっている。

もう一つ、チャレンジ精神の涵養《かんよう》にいいと思うのは、陽明学の教えである。

これは、一六世紀初め、中国が明王朝だった時代に王陽明によって創始された学問だが、その中心となる教えに「知行合一」というものがある。

この考えはある意味非常にアメリカ的で、私の好みだ。アメリカ人にも通じる考え方である。知—考えて、行—活動に起こし、それを合一することで事が成るということである。考えたことは、口に出し、説明し、実行するのである。

いい考えを得ても行動に移さなくては意味がない。グローバリズムが進み、何らかの「フアースト・ペンギン」となるためには世界中に先んじて結果を出さなければならない時代である。「沈黙は金」だと思っていては、人も国も良い運命との邂逅《かいこう》はないだろう。

コラム　マハティール元首相のビジョンと世界観

マハティール・ビン・モハマド閣下は、一九八一年から二〇〇三年、二〇一八年から二〇二〇年までマレーシアの首相を務め、国を発展途上国から中収入国へと引き上げた、アジアが生んだ真のリーダーである。

現在九八歳の高齢であるが、本書の執筆に際してもアンケートにお答えいただくなど、多分な協力をいただいた。氏へのインタビュー掲載も予定していたのだが、今回は実現に至らなかった。本文中ではあまり触れられなかった氏の日本や世界に対する考えの一端を、ここで紹介したいと思う。

明確な長期ビジョン

二〇一一年、学内にアジアＰＰＰ研究所を設立した当時の東洋大学総長・塩川正十郎は、政治家時代からマハティール氏と親しい人だった。またマハティール氏も、首相時代からＰＰＰに積極的に取り組んでいた。新首都機能を持つプトラジャヤ特区や、ＩＴの先

マハティール閣下（左）と筆者

進基地であるサイバージャヤ特区は、まさにPPPで開発された都市である。私は、その知恵を借りるべく、塩川を通じて面会を依頼し、クアラルンプールのツインタワービル最上階にある氏の事務所を訪ねた。以来毎年二度ほどは親しくお話をする機会をいただいている。

　最初の会見では、氏がなぜ「ルック・イースト政策」を掲げてマレーシア経済の開発に踏み切ったのかをお話しいただいた。

　一九六〇年代ごろに日本を訪問するようになった氏は、日本人の勤勉さや時間や職務への忠実さに心を打たれた。日本やその後の韓国の経済成長に、自国の未来を見た氏は、

「東に位置する国」に倣《なら》っての豊かな国づくりを推進した。それが「ルック・イースト政策」である。帝国主義時代に日本は植民地となることなく先進国となり得たことも、氏の思考の背景にはあったという。政策の一環として、五万人以上の学生を日本に留学させた。子息のムクリズ氏も日本の大学の卒業だ。

それに続く「ワワサン2020政策」は、マハティール首相の金字塔である。「ワワサン」とはマレー語で「ビジョン」のこと。一九九〇年から三〇年かけて、マレーシアを先進国に到達させる計画だ。金融危機を二回経た影響で先進国とまではいかなかったが、中収入国には成長した。明確な長期ビジョンと、適切な中期・短期の計画実現の積み重ねが、国民の幸福を築き上げた好例である。これも、日本が産業政策によって経済成長を果たしたことに範を得ているようだ。

なぜマレーシアで高等教育を受けた人は英語が堪能なのか

現在のマレーシア人で高等教育を受けた人は英語に堪能である。これもマハティール首相の功績だ。世界の共通言語が英語である以上、英語を使える国民とならなければならないとして、小学校一年次から授業を英語で行なうように改めた。そして見事に一世代で成果を出した。

このような政治をしてきた氏には、日本の迷走が歯痒《はがゆ》く見えるようだ。著書『立ち上がれ日本人』(二〇〇三年、新潮新書)では、「今の日本人には自信と愛国心が無さすぎる」と言っている。これが書かれた頃は、まだ日本はGDPで世界第二位であった。氏は、福岡の茶髪の高校生たちに、「もっと自信と誇りを持て」と叱咤激励した。言われた高校生たちは、「日本の政治家には言われたことがない」と驚いていたそうだ。

この本では、国際情勢観も披瀝《ひれき》している。マレーシアはイスラム教が国教である。だから、イスラム教のパレスチナとユダヤ教のイスラエルの対立には敏感だ。氏も一家言《いっかげん》持っている。「パレスチナとイスラエルの問題は、宗教問題ではなく領土問題である」とのことだ。双方の言動は世界平和を祈るイスラムの考え方に沿わない。ヨーロッパ諸国がユダヤの経済力を必要として現在のイスラエル建国を許したことが、世界の大きな不安定につながっていると見ている。密かにあった南米やアフリカにユダヤ国を建設するプランに従った方が賢明ではなかったかと考えているらしい。

中国の台頭にも、ナポレオンの「中国は眠れる巨人、目が覚めれば世界は驚く」という言葉を紹介しながら触れている。「中国は世界侵略はしない、国境を維持しようとしている国」と観察している。後述するが、この件では私は見解を異にする。

アジアには「共存を考える文化」がある

二〇二二年の会見では、マレーシアが長年かけてつくり上げた経済を、アメリカのヘッジファンドが二週間で潰したという発言があった。資本主義下とはいえ、金儲けにも節度があるべきだと考えているようだ。金融危機の際の経験が言わせたと思えるが、やはり「金がすべて」というような考え方に嫌悪感があるのだろう。

現在の情勢については、アメリカ・ヨーロッパ連合と中国およびロシアの対立が、全ての現象の出発点となっていると披瀝した。

ロシア・ウクライナ戦争は旧東側のワルシャワ条約機構が消滅したのに対し、西側のNATO（北大西洋条約機構）は存続していることがその核心と見る。プーチンは、ワルシャワ条約機構の再生による軍事バランスの復活を求めているのだと観察している。

西洋の思想は「取るか取られるか」だ。アジアには「共存を考える文化」がある。だから、今後アジアが考えるべきことは、これまで西洋中心の考え方で進んできた世界史に、いかに東洋的な共存思考を入れ込むかということだという。コンフリクト（争い）が起きるのは仕方ない。だから世界の裁判所というべき「紛争の裁定機関」が必要だ。マレーシアはシンガポールとの問題が起きた時に、国際裁判所の裁定に従った経験を持つ。そのような理性が、今後の平和構築につながると言っていた。

事務所のスタッフによると、現在の氏は睡眠約三時間、小一時間の昼寝をする。運動は欠かさず、食事は小食に留めているそうだ。夜間にはインターネットを使ってさまざまな見聞を広めているとのことである。

第二章

日本の政治　長所と短所

【アンケート3】日本の政治・政府の長所、短所とは

アメリカのエリート九名の答え

S氏

⬇政治家のレベルが低すぎる。海外から見ると、日本人は、信用する価値に値しない政治家を信用しすぎている。

⬇経済界、企業が強く、政治家の意見に影響を及ぼす。

⬇地方自治において、地方の問題を解決する財政（税金処理）ができていない。国、地域の財政援助は必ずしも地域問題解決につながっていない。

⬇年功序列に頼りすぎて真の価値が見出されていない。

C氏

⬇国政が地方政治よりも上だというヒエラルキー意識が、地方における創造性、独自の意思決定を損なっている。

⬇国による財政システムは社会の平等性をつくり上げているが、地方の責任感を失わせ、新しい試みを妨げている。

⬇ビジネス界で行なわれる効率の良い経営が政府機関に反映されていない。

⬇日本政府の官僚主義と協調の重視が創造性、イノベーション、効率化を妨げている。

D氏

➡日本政府は封建主義すぎる。アウト・オブ・ボックス（常識を外した）的な考えを嫌っている。

➡政府は安定しており、二〇一一年の災害時には国民の命、生活に必要な政策が取られていたが、システムの封建性が国民のニーズを理解しない政策になり、災害で避難した市民が元の土地に帰ってこれない状況をつくってしまった。

Z氏

➡日本の議会制は優れていると考える。アメリカにも真似をしてほしい。

➡首相はアメリカ大統領のような権限を持っていない。良いのか、悪いのか？

M氏

⬇長所：計画を立て遂行する、インフラ投資、途上国への財政援助、銃を規制する強い法制度、犯罪率の低さ、安心安全な環境づくり、公共運輸システム。

⬇短所：官僚システム、レッドテープ（書類手続き）がすべてを遅らせる、チェンジに時間がかかりすぎる、官民連携システムで政策戦略を進めない、法律の平等性に欠ける。

R氏

⬇長所：インフラ開発運営、社会システム、中央集権的財政システム。

⬇短所：中央集権すぎて、地方の信頼性が薄い。地方に必要な財政が行なわれていない。

⬇中央集権システムは政治的には便利でリスクが少なく、財政が良い時には良いが、財政が悪くなった時に地方が独自に再建プランをつくること、インセンティブの形成を妨げる。

⬇国も地方も、予算作成は予想される税収入を基本にした作成ではなく、国が徴税を行ない、必要に応じて地方に分配する古いやり方である。このシステムでは市民、ビジネス業者、NPOを含むニーズに準じた組織、責任体制、また、関与するプロフェッショナルを育てることができない。

H氏（女性）

⬇長所：安定した政府、インフラ完備、福利システムもうまくいっているように思える。

⬇短所：高齢化、労働力減少、政治改革の停滞。

B氏

➡アメリカは現在も、世界中の軍事対立に参加する。日本は第二次大戦後は戦争放棄主義で、対立に参加していないことはアメリカでは知られていない。

➡安倍首相の暗殺は悲劇であったが、コロナ問題でも政府の対応はうまく行なわれている。

K氏

➡長所：日本の民主主義は確立している。バブル崩壊以降の「失われた数十年」のような状況を招来した場合、他国ではその政府は失墜し、別の政治勢力が政府を新しく立ち上げることになるが、日本では現行のシステムの改善で乗り切ってきた。

➡短所：民主主義において個人の権利の確保は最重要問題である。その面では、日本国民の社会規律への忠誠が、個人の重要性を失わせているようにも見える。東アジアでは、昔から個人の権利より社会規律の方が重要視されてきた。中国の哲学者孔子の教えも、社会規律を保つ政治社会システムの重要性を説いている。政治の混乱が続いてきた中国では当たり前なのかもしれない。習近平の父は文化大革命期に追放され、地方へ流されたが、習近平は社会規律の遵守を厳格に求めている。

日本、韓国に代表されるアジアの民主主義国は、今後のアジアにおいて個人の表現の自由を守りながら、平和共存を実行していかねばならない。ビッグ・ブラザー（アメリカ）がいない場合でもできるのであろうか。

アメリカのエリートの日本観

- 政治家のレベルが低い。
- 地方政治が国政に資金を依存しているのは問題である。地方政治の責任感が薄れ、レベルが上がらない。
- 日本の政治は規律ある社会をつくることには成功しているが、個人が自由に生きていける社会の創生のためには努力が必要である。

ヨーロッパのエリート六名の答え

B氏

➡長所：教育がある労働者、組織化された政治システム。

➡短所：役所における人員の異動が早すぎる。職場での人間関係が築けず、共通の問題意識も生まれない。今の職場環境では、他国の役人との意見交換はできない。行なうにしても上司の許可が必要と思われる。

N氏

⬇長所：産業政策による経済成長、他文化への尊敬。
⬇短所：国民、経済が社会変化に対応する準備ができていない。

J氏

⬇長所：政府の役人は有能、効率性を保ち、信用できる、透明性を持っていると見える。
⬇短所：国政レベルでの社会の変換、環境変化への対応に遅れる。国のエリートたちはごく一部の大学出身で、社会の多様性の理解に乏しく、規格外の考えを理解できない。これは英国、フランスにも言えることである。

⬇長期展望の政策が取れない。決められた周期での選挙は、政治家に短期的に結果を出せる政策しか取らせない。これは英仏でも同じだが。

S氏（女性）

⬇特に意見を持っていない。

Z氏

⬇政府に関しては十分な知識を持たないため答えられない。

B氏（女性）

➡短所：観光関係で多くの自治体と仕事をしてきたが、予算は必要に応じて使うのではなく、年度内で使い果たすシステムである。そのため、年度末に不必要な出費を行なっている。国、地方、市町村、観光組織内で同じ作業が行なわれているケースが多い。

ヨーロッパのエリートの日本観

- 日本の役所の異動の多さ、頻繁さが指摘されている。これでは自分の意見を持てず、海外の役所との意見交換もできない。大きな仕事ができない。
- 政府の役人が限られた大学（東京大学）出身者で構成され、社会の多様性の理解、規格外の思考や行動ができなくなっている。

アジアのエリート一〇名の答え

マハティール閣下

➡戦後はほぼ一政党が政権を取っている。首相の交代が多すぎる。
➡日本の政府は独立精神に欠ける。他国のパワーを覆すような行動は取らない。よって成功しているにもかかわらず、地域でのリーダーシップを取らない。

K氏

➡長所：国民中心の活動、オープンで透明性がある、国民の平等性、比較的裕福。
➡短所：官僚主義、外交、防衛システムが西側に近い。

J氏

⬇長所：多くのセクターで政府は対応、準備ができている。

⬇日本のＵＲ（都市再生機構）の住宅供給、都市開発はシンガポールのＨＤＢ（住宅開発庁）を除けば世界一と言える。ＵＲは日本のグローバル化、工業化、都市化において安価で計画性を持つ街をつくり上げた。それらは私が東京大学で博士号を得るため新《しん》三郷《みさと》（埼玉県）に六年滞在した時に実感した。

⬇短所：見つけづらいが、官僚制度、意思決定のスピードなどは問題だと言われる。

N氏

⬇自民党の政権独占が民主主義を弱くしている。

➡長所：政府の安定、効率の良い官僚システム、災害対策。
➡短所：政治的硬直、人口減少、高齢化問題、男女平等問題。

R氏（女性）

➡長所：外交能力、国民に対し正直で公平性を保つ。
➡短所：政府はコンサバティブ（保守的）で意思決定が遅い。これは未来において日本の世界での競争力に問題を与える。特に今の多様性の時代では。これらは日本政府の慎重さ、高い責任感から来ている。時には遅いアクションが功を奏することもある。パンデミックの時には日本政府は遅い対応ではなかった。
➡日本政府は保守的・慎重さとフレキシビリティ（柔軟性）・自由性のバランスの取り方に問題があるように思える。一番の問題と思われることは、未来に向けた先端産業、ロボット、新素材、研究、開発について、それを担う国民の養成に十分な投資ができるのかどうかである。

F氏

⬇国民のための政策は用意するが、実行に時間がかかる。たとえばパンデミックでの政府の緊急事態宣言は遅すぎた。

K氏

⬇長所：政府の安定性、環境重視、高効率高品質なインフラサービス、国民へのサービス提供。

⬇短所：政策が保守的、間違いを避けようとするため革新、新たな創造が少ない。社会の高齢化、老人重視の選挙公約、老人政権。隣国との歴史問題が多い。

K氏

➡政府は頑迷固陋《がんめいころう》すぎる。変わりゆく世界に柔軟に対応できない。

➡閣僚が頻繁に変わりすぎで長期的政策が取れない。

➡政府とビジネス界の関係は良く、よってビジネス界の要請に対応する政策が取られている。ゆえに政治家、役人に汚職が多くなる。

S氏

➡長所：政府は国民への対応がよい。パンデミック時もよかった。
➡短所：移民政策は問題がある。システムが厳格すぎる。

I氏（女性）

⬇長所：産業・経済システム。

⬇短所：ぜいたくな生活習慣、人口減少、高齢化。

アジアのエリートの日本観

- 自民党支配が長く、変化に乏しい。
- アジアのリーダーとして責任を持とうとしない。
- 意思決定とその後の実行が遅い。
- 政府が経済界寄りの姿勢である。
- 老人重視である。

アフリカのエリート四名の答え

A氏

➡長所：日本政府は国民のため安全な社会を形成している。

➡短所：外国語教育ができていない。国民が英語など外国語で会話することを難しくしている。

K氏

➡長所：確立した政府制度、大小にかかわらずプロジェクト開発が盛ん、エンジニアリング、計画・実行する力。

⬇日本にベネフィットがないと思われるが、JICAのように過去の経験を途上国に教えてくれる寛大さ。

⬇産業技術開発、自動車産業、製薬産業、それらをサポートする国の法的制度設計。

⬇短所：一九九〇年からの経済活動の減速、政府の規則の重複・過多、大企業への法人税の高さ。

S氏（女性）

⬇長所：政府の安定、効率性、組織化、国の安全、清潔さ、インフラ開発、災害からの復興力。

⬇短所：多様性の欠如、自己表現、男女平等問題、政治における人種問題への対応。

⬇複雑な官僚制度がイニシアティブに影響し、政策の遂行を遅くしている。

C氏

⬇長所：国の規律、システム、社会の安定。
⬇短所：海外からの投資を受け入れる制度が弱い。
⬇未来のビジネスは国を超え、個人によるビジネス展開になる。今のままでは日本は乗り遅れる。

アフリカのエリートの日本観

- 外国語教育政策の不足。
- 企業を取り巻く規制の過多。
- 官僚の縄張り争いによる政策遂行への障害。

日本のエリート四名の答え

H氏

➡長所：平等を重視し、格差是正に寄与し、国民の富の分配、治安維持に貢献している。

➡短所：国際社会でのガバナンス構築はせず、外交、防衛は他国に委ね、民間企業を支援する政策が多いため、世界でリーダーシップを発揮できない。

K氏

➡長所：民主主義の確立、政権交代がスムーズ、政治批判もできる言論の自由がある。

⬇短所：選挙に勝つための政策の採用。ポピュリズムが強くなり、シニア層の投票率の高さからシルバー民主主義になる。

⬇ツケを将来に回す国債頼みの財政になっている。

I氏

⬇短所：政治家のレベルが低すぎる、政治信念も持たず、世界とのコミュニケーションも取れず、世界の中の日本という視点での政治ができない。

⬇世襲の政治家が目立つ。官僚制度も問題である。政府の長所は見つけられない。

T氏（女性）

➡長所：長期にわたる安定政府は外交路線でも安定感がある。グローバル・サウスの台頭でも仲介役ができている。

➡短所：ロシア対ウクライナ、米中対立、世界の分断化では効果的に動けていない。

日本のエリートの日本観

- 世界でリーダーシップを発揮できない。
- 選挙用の近視眼的な政策ばかりが目立つ。
- 世襲の政治家ばかりで、優れた政治家が育っていない。

■私を民主主義に目覚めさせたアスキュー知事の言葉

アンケートの結果からは、海外のエリートが日本の政治家のレベルの低さを憂えている様が浮き彫りになった。

なぜ日本の政治家のレベルは低いのか。私の見るところ、日本の政治家は民主主義を理解しておらず、勉強もできておらず、民主主義国家において政治家が持つべき責任感と覚悟を持っていないからではないかと考える。

私には民主主義国家における政治家の正しい姿勢が深く心に刻まれた経験がある。フロリダ州知事室に勤めていた時代のボスのアスキュー知事の言葉である。

一九七七年、私は知事の諮問一〇〇人会（Council of 100）のメンバーであるフロリダ州の要人、銀行頭取、商工会会長、新聞社社長、テーマパーク社長、港湾局長など錚々《そうそう》たる面々にコンタクトし、二〇人ほどを集めてのランチミーティングをコーディネートした。

冒頭に自己紹介の時間があり、その最後に知事が私にも話すように命じた。予定外の展開に私は、緊張しながらも、

I am Sam Tabuchi. I work for Governor Askew. I helped to coordinate this luncheon meeting.

と言ったと記憶している。私は、アスキュー知事の下で働いていることに誇りを持ってそう言ったつもりだった。

すると、知事が立ち上がった。

Sam, you don't work for me. —— You work for the state of Florida, you work for the people of Florida.

と私に向かって言い、そして、

As I do.

と締めたのである。

私はこの言葉に背筋が震えるほど感動した。これこそが自分が実践すべきアメリカ民主主義の精神なのだと心に刻み、それから一〇年間、この言葉はフロリダ州の公務員として働くみちしるべとなった。

日本の政治家や官僚・公務員も、同じような初心は持っているだろう。しかし、それを忘れてしまう人が残念ながら多い気がする。特に政治家は、当選すれば「先生、先生」と持ち上げられるだけに、私欲も絡んで勘違いしてしまう。

私はゴルフが好きで多くのゴルフ場を訪れるのだが、ある有名なゴルフ場のレストランで、見覚えのある政治家が携帯電話で大声で話している光景を見た。テーブルの上には、「携帯電話での会話はご遠慮ください」と書かれたプレートがあった。他のクラブメンバーはそれに対して何も言わず、見て見ぬふりという雰囲気だった。政治家だからこのような行動が許されるかというと、とんでもない勘違いである。むしろ真逆だ。He does not work for the people of Japan.

日本の政治家は、自分たちはAbove the Law（法以上の存在）と考えている人たちが多すぎるのではないか。二〇二三年一一月に発覚した政治資金規制法違反問題も、そのような意識から生み出されたもののように思えてならない。政治家も一般市民も全員が法の下で裁かれるのが民主主義なのだ。国会議員には「不逮捕特権」があるが、それはなぜあるのか、その本当の目的を自分たちで反省しながら顧みた方がよいだろう。

■世界をリードできない閉鎖的な政治

アンケートの答えに共通するのは、日本の政治は世界をリードできるようなものではないという評価だろう。

その背景には、前章でも少し触れたが、外国人・外国語に対する閉鎖性がある。この点について端的には、インバウンド消費が重要な収入源として確立してきたことが解決へのトリガーの一つになるのかもしれない。街のお店の店員さんが英語できちんと対応できれば競争に勝てるとか、外国からのお客にアピールするにはどのような主張の仕方が有効かなどを、政府としては経済界を巻き込んで宣伝し、国民の学習意欲を掻き立てていくことが重要になるだろう。

教育レベルがもともとかなり高水準にある日本国民が、多文化、多言語が表現する多くの価値を前向きに受け入れる姿勢になれば、昭和の高度経済成長期のような上昇機運を生み出すことも夢ではないかもしれない。

そういう機運になれば、もともと学び好きの国民だから、おのずと世界の一般常識にも目を配るようになってゆく。学校で薦めるような本以外にも、いろいろと手を伸ばすようになるだろう。メディアや出版社も、明治時代前半の西欧文化導入期のように、世界の作家や思想家にまで注目するかもしれない。外国文化理解が遅れているのは、いいコンテンツやソフトの不足が厳然としてある。その背景には、優れた翻訳者の不足ということも当然あるだろう。私などが読んでみても、世界の名作文学などの翻訳は、文法的には正しいが、言葉だけの翻訳になってしまっているからなのか非常に読みにくい。ビジネス書などについても同様である。このように考えてくると、政治的にも経済的にもここに宝の山があるとも考えられる。

アメリカに「ストリート・スマート」という言葉がある。学校で学ぶ知識ではなく、路上（社会）で学ぶ知識の大切さを象徴する言葉だ。多様な人々と接し、その中での共通性や相違性を理解できることが、人や社会に柔軟性と創造性をもたらすのである。それが、日本という国が「世界に通用する社会」へと成長することにつながるに違いない。

こういうことを考えてみてほしい。

日本の人口は約一億二〇〇〇万人である。この数字はどういうことを意味するか。これからの日本人がこの数字からイメージしなければいけないことは、世界の総人口約八〇億人に対して、日本人の人口はわずか一・五％にすぎないということである。

そして、世界人口の九八・五％は、日本の外にあるということを理解してほしいのだ。

加えて日本経済のパフォーマンスは、世界の三％ほどだということも知った方がいいだろう。先進国だ、経済大国だと胸を張ってみせても、所詮はこんなもので、いわゆる「成長の限界」を迎えつつあるように見える日本のシステムの現状からしても、外にある九七％の方に目を向けた方が可能性があると考える。

■専門分野を持たない低レベルな政治家・政府職員

指摘されて恥ずかしく思うべきなのは、老人に対する政策ばかりが目立つということだと思う。さらに、官僚が書いた答弁を棒読みする政治家も散見される。アメリカの大臣、大統領は、記者会見ではメモは読まないし、準備していない質問にも答える。

タレント候補の活動がテレビで盛んに報道されるようなポピュリズム的な選挙では、どうしても投票率の高い老人層の票がほしいというのは、候補者の本音かもしれない。確かに当選しなければ何もできないのが政治家である。だがその反面で、そのような老人重視が見えているから若者層が選挙権の年齢を引き下げても投票する気にならないのではないか。野党でもいい。どこかの政党が徹底して若者の未来を考えますというようなことを言ってみたらどうなのか。

日本の政治家は、自分はどの分野の専門家なのかということをあまり言わない（言えない?）。専門分野がない候補者には何も期待できないと私は思うが、選挙の時にポスターなどを見ても、所属している政党と、何歳ぐらいなのかしかわからない。これで何を基準に選んだらよいのだろうと、いつも疑問に思ってしまう。

専門がある人には、おそらくその分野にはどのような壁や問題があるかという知識がある。そしてそれを打破したいという願望があるだろう。それを国レベルに敷衍《ふえん》した政策で勝負してほしいのだ。また、その分野の人にしか気づけない知恵もあるから、議会での論議で新たな知恵が出せることにつながるかもしれない。

私なら、「東大卒で元官僚で誠実です」というキャッチコピーの人には頼まれても投票しない。そのような投票に臨むためのリテラシー的な教育も必要になるだろう。また、その実践によって、投票に興味を持つ人が増えるかもしれない。多くの国の人々が、現に、「政治家のレベルが低い」と言っているのだ。政治家個人の反省と研鑽《けんさん》は厳しく要求するとしても、そのレベルを上げていくための未来戦略がぜひとも必要である。

■首相や閣僚の任期が短すぎる

首相や内閣閣僚の任期が短すぎるということも、アンケートで複数の指摘を受けている。アメリカ大統領の任期は四年だが、ドナルド・トランプのような間違いでなった人以外はたいがい二期八年務めるので、実際は八年と思っていい。

これに比べると、確かに日本の首相で八年間継続して務めた人はいないことに気づく。戦後では、吉田茂（第一次を除く）六・二年、佐藤栄作七・六年、安倍晋三（第一次を除く）

七・七年であり、ずいぶん長かったという印象の政権でも八年には届いていない。これでは、外国人の目で見て、首相や閣僚の交代が頻繁すぎて、腰を据えた政策に邁進《まいしん》できないと思われるのもうなずかざるを得ない。

習近平のように、自分から辞めない限りはいつまでもできる（自分で法改正してそのようにした）というのは論外だが、それにしても日本の首相の「寿命」は短すぎると言えるだろう。

国政というのは、昔から「国家百年の計」という言葉もあるように、未来を見据えて行なうものである。今の制度がよろしくないからといって、世の中の常識を急変させることは、格好はいいが反動も大きい。多くの人々が影響を受ける問題については、遅すぎない程度にゆっくりと、漸進《ぜんしん》主義でやっていった方がよいことが多い。日本でそのような急変が起きたのは、占領期だが、激変期を抜けて安定期に入るまでに結構な時間を要し、国民に多大なストレスを与えたという歴史もある。教科書が間違っていたということでスミを塗ったことが、今でも心の傷になっているという老人もいる。二〇二三年の自民党の政治資金規制法違反の問題で、いくつかの伝統派閥が解散するという騒ぎになっているが、こういうような小さなことは、政治がらみとはいっても、「明日から派閥解消です」で一向にかまわない。頭を抱える政治家もいるかもしれないが、国民には問題ではない。

それにしても、数十億のお金をねこばばしてお咎めなし、これで通用するだろうか？　国民は一生働いてもそんなお金は手に入らない。日本の政治と金の構造は抜本的に修正すべきである。ワシントンは国民の信頼を得るために必要なのは、政府のお金をオープンにすることだと訴えている。これは民主主義の基本である。このことを日本の政治家は理解していない。理解したら、自分たちの立場が危うくなると思っているのだろうか。だとしたら、そちらの方がもっと罪深い。

話を戻そう。世界に合わせるためであっても、新政権が突然、「来年から国内のすべての学校を九月始まりにします」と言ったら、国民のほとんどに大きなストレスがかかるだろう。国政とはそのようなものであり、激変させるのは賢い在り方ではないのである。県政や市政も程度の差はあれ同じだ。じっくりと着実に取り組むべきことの方が多いのだ。

マレーシアの元首相のマハティール閣下と、私は親しくさせていただき、いろいろと教えをいただいているが、このことについては、

「日本の首相の任期は短すぎる。自分の経験では、首相の仕事を理解するだけでも最低三年は必要だ。日本の首相たちのように、二年や三年で交代するのでは、国民に対しての仕事は

できない」

と言っていた。

マハティール閣下の言うように、日本の首相は、本当の首相としての仕事をせずに交代してしまっているのではないだろうか。

また、政府職員も三〜四年で異動する。「訪日する度に新たなコミュニケーションをとらなければいけない」と訴える海外の高官もいる。三〜四年の勤務で何が学べるのだろうか。

■古い社会システムが世襲の議員ばかりを生み出す

アンケートには、日本の政治家のレベルの低さの原因として、世襲の議員が多いことが挙げられていた。これは確かに言える。アメリカにももちろん世襲の議員が少しはいるが、しかしそれだけでは上下院、州議会でも当選はおぼつかない。やはり他の候補者と同じように専門分野を持ち、そこから政策を編み出し、その上に親族の業績にもとづく信用をかぶせないと勝負にならないだろう。

日本の世襲議員たちは、親の代の「地盤（選挙区、支持者）、看板（肩書、地位）、鞄《かばん》（金銭）」を継承して立候補するから、「大学を出てサラリーマンをしていた息子、娘です、よろしく」というだけで当選してしまう。政治がその家の家業になっていて、支持者たちの生活を「安堵」している形になっているから、先代とは違う政治がやりたいなどと言い出してもらってはかえって困るのだ。これではヤクザの親分子分関係と何ら変わらない。

このような事態が許容されてしまう背景には、やはり「ジャパニズム」があるだろう。

その一つとして、日本人はなかなか現場から身を退きたがらないということがある。よく、刑事ドラマなどを見ていると、叩き上げの刑事で出世に興味がなく、事件にかまけて昇格試験をさぼるため階級は低いままのような人物が登場する。出世の魅力より悪を懲《こ》らしめたい正義の人である。こういう人が純粋で立派だとされる。

また、八〇歳とか九〇歳になってフルマラソンを完走する老人が、テレビでインタビューされていたりもする。すごいなとは思うが、偉いのとはちょっと違う。

日本人は勤勉だというのも、各国の人たちのアンケートに共通した評価だが、こういう「叩き上げ」とか「生涯現役」というような「意地と努力の賜物《たまもの》」が日本人は大好きだ。アメリカ人はそういう美学は持ち合わせていない。宗教の違いなのか社会の違いなのかわからないが、若いうちに成功して早めに引退、悠々自適というのが好きなようである。

早く現場を離れたいアメリカ人は、次の人の養成を真剣にやる。

アスキューも、次世代の教育に力を入れていた。私も、その一端と思っていてくれたのか、機会があるごとにさまざまな経験をさせてもらい、オフィスにいるだけではわからないことを見せてもらい、フロリダの数多くのビジネス・リーダーと会わせてもらい、かけがえのない指導を受けたと思っている。

ところが、日本に帰ってきて、真逆の話を聞いた時には自分の耳を疑った。大手の会社の社長は、次期社長選びでは、決して自分より優秀な人物を選ばない。自分を超えられないためだということである。今でも、これは本当の話かどうかわからないのだが、そうであるならば、人材育成ができないのも、組織が停滞するのも当然だろうと納得がいくような気がする。

このようなことが絡まって、世界のエリートたちには、「日本の政治は封建的で古い」と見えてしまうのかもしれない。

■エリート教育がないからまともなリーダーが育たない

日本には、厳しい受験競争と軍事国家だった頃の名残のような規律（体育会系）はあるが、エリート教育というものがない。それが、他国のエリートが指摘するような、政治家のレベルの低さを生み出していると考えてよい。

叩き上げのベテランに尊敬心を持つ心情は悪くはない。しかし、人の上に立って責任ある社会・組織運営を行なう人材が持つべき哲学や知識がある。だが、国内での最優秀層が行く東京大学にも、そういう講座があるとは聞いていない。

私は、Do the Right Thing の姿勢を、ボスのアスキューから教わった。州政府でもビジネスでも、社会でも、「正しいことをやる」ことは決して簡単なことではない。アスキューはこれを基本に独自の政策を考え行動をしていた。

私は、アスキューの後任者のボブ・グラハム知事の政策に、多くの反対意見を述べたが、それはその分野のプロとして、フロリダ州民のために正しいと思ったゆえである。知事が変わっても、政治的なプレッシャーがかかっても公僕の精神・信念を変えず、自分が正しいと信じたことをやり続けたという自負がある。I work for the people of Florida の精神を持たないというのは間違った態度だと上司に教わったからだ。

詳細はわからない（公表されない）ため、無責任な評価は慎むべきだが、メディアで発表されていることから考えると、森友学園への国有地売却に関して財務省決裁文書の改ざんを要求され、うつ病を患い自殺した赤木俊夫さんは「真の公僕」である。彼は、自分で考えた、日本国民のための判断が上司に認められなかったので、命を賭して自身の正しさを訴えたのではないだろうか。昔の侍は、上役に自分の意見が伝わらない時、理解してもらえない時には切腹して、最後の主張を行なったと聞く。

私がアメリカで学んだ政府システム、アメリカ民主主義から言わせてもらえれば、赤木氏は立派な侍であり、公僕である。今でも悪代官が日本を牛耳っているのだろうか。

ビジネスなどにおいても、こちらの案の方がより儲かるなど多くの言い訳がなされる。しかしアスキューに学んだ私は、そこは妥協しなかった。より儲かるからという理由で、環境を破壊し、地球の持続性を妨げてよいのか、役所で多大な負債を抱え込み、次世代にそのツケを回すようなことが許される社会、国でいいのか。今の日本でそれを言うと、「青臭い書生論だ」と片づけられるだろう。しかし、目の前の現実などは誰にでも見える。その現実の行きつく先に何があるのかを国民に見せるのが真のリーダーなのである。

一二〇〇兆円、国民一人当たり一〇〇〇万円（赤ん坊から一〇〇歳のシニアまで）以上の負債を抱えながら、国の負債は問題にならないと主張する今の日本政府。国民は将来起こると予想される事態を知らない、知らされない。これぞ官主主義であり、非常に間違ったやり方である。赤字国債一二〇〇兆円と、東日本大震災へのケア（能登半島の震災にも同様に必要）、東京オリンピックに国が渡した公金、次に大阪万博、それに加えてここ数年のパンデミックと飲食店などへの援助金……日本の負債は現在のＧＤＰに対し二八〇％オーバーになっている。借金時計は一秒ごとに「日本の負債が四〇〇万円増えました」と告げ続けている。このような状況で政府が出してくる解決策は、「さらに多くの負債を許容する」策である。これが日本国民への答えでいいのか？

　このように、何でも国が公費でまかなうということが、政治体制が封建的で古いとアンケートで言われる原因ではないか。他国に良い事例があっても、それを取り入れようとしない硬直性は、もう時代に合わなくなってきている。

　一九八四年のロサンゼルス、一九九六年のアトランタ・オリンピックにおいて、アメリカ政府は公の資金を使っていない。すべてに民間資金を活用したＰＰＰが活用されている。そもそも、アメリカ政府にはこのようなイベントを担当する役所はない。

　二〇〇五年に名古屋で行なわれた「愛・地球博」にも、アメリカ政府は参加しているが、費用の大半を日本政府が用意したと聞いている。フロリダ州はアメリカ・パビリオンの建設に五万ドルを寄付したが、その見返りとしてパビリオンでフロリダ州への投資セミナーを行なっている。他の州や団体も同じような形で参加しているだろう。不足分は民間企業の寄付でまかなった。官費はやはり使われていないのである。
Do the Right Thingというアスキューの哲学を、今こそ日本国民に伝えておきたい。

■多数党の党首が首相になるのは民主主義ではない

アスキューがフロリダ州知事に立候補した際の公約の一つに「太陽の光修正案（Sunshine Amendment)」があった。「太陽の光が州民一人一人に当たるようにする」政策である。州政府のすべての資料・ドキュメントは公のものであり、すべての州民が読むことができるという法律を彼は作ろうとしていた。

それまでフロリダ州政には透明性がなく、政治家が勝手に公金を使うような汚職が多かった。アスキューは公共の書類をオープンにすることで、州民に隠さない政治を遂行した。また、選挙で選ばれた政治家（国、州、自治体）が、どのレベルでも二人以上集まる時は、必ずメディアに報告する義務を持たせた。メディアに、州民代表として政治家の会合に参加する権利を与えたのである。公の話をする、州民の税金を使う話をするにあたっては、密室で数名で決めてはいけないということを法律化したのである。

日本でこのような法律を作ったらどうなるだろうか。現在、日本の政治家はメディアを呼ばず国の話をし、税金の使い道を数名で勝手に決めている。次期首相も、都合よく決める。日本の議会内での総裁選びでは国民は何の権利もないと言っていい。

今回のアンケートでも、自民党一党支配の弊害が指摘されていたが、今後の日本国民は、自民党の党首が日本国の総理大臣になるのは民主主義とは言えないのではないかという疑問を持たなければいけないだろう。今の代表選挙システム（議員、党員選挙のみで国民は選べない）に任せるのではなく、国のリーダーは国民が選ぶのが正しい。日本では難しいというのは、既得権保有者のいいわけにすぎないと思う。

この「太陽の光修正案（Sunshine Amendment）」を実施し、フロリダ州民に対し政府は情報公開を義務付けられた。どのような判断で法律を作ったか、意思決定をしたかについて、政治家は説明責任を持つことになった。汚職が減り、透明性が増したことは言うまでもないだろう。この背景にあったのは、「州民の信頼を得るには、州政の透明性が必須」というアスキューの哲学があったのである。

■透明性のない政治が招いた「パーティ券問題」

アメリカという国は、元来、ヨーロッパの国々の貴族中心の政治に愛想を尽かした人々によって建国された国である。だから、国民が中心であり、民主主義によって世界を牽引する使命のある国である。

その初代大統領であったジョージ・ワシントンも、「政府がいかに国民の信頼を得るかということが、未来に向けての民主主義の発展の鍵だ」と考えていたリーダーだった。そのために彼は、具体的には、「預かった税金によって行なわれる政府活動に透明性が保たれるよう管理する」ことを信念としていた。アスキューの哲学もそれを学ぶことから培われたものだと思う。

そのような場所で働いてきた私の目には、日本の国や自治体の予算編成には透明性など全くないと映る。国民も県民も市民も、自分の納めた税金が何に、どんな割合で使われているかを知っている人はいないであろう。また、それを知りたいと思っても、一国民という肩書で見せてもらえる資料はどの程度あるのかさえ知らないだろう。

税金ではないが、二〇二三年の自民党のパーティ券スキャンダルを見せられては、現行の政府への信頼も地に墜ちて当然である。派閥への政治資金として与えられた金の流れを派閥内で隠し、議員が然るべき申告をせずにその一部を着服したのであるから、法律違反であり犯罪である。政治には金が必要だというならば、金をどのように集めたのか、これを資金として何に活用するかという説明をすべきであり、今回のことを中途半端に終わらせてしまうようなら、政治レベルの低さを容認する国民の責任でもあることになる。

■立派なお役所のビルが象徴すること

世界のエリートたちには、日本は民主主義でなく官主主義だというような印象を持っている人も多いようである。私も、帰国した当初、実に立派な東京都庁を見た時にそれを実感した。例外なくと言っていいぐらい、各県の県庁所在地では県庁のビル、各市では市役所が、その土地の最も立派な建物になっているのである。

私が働いていたフロリダ州知事室は、質素というかボロボロであった。州民から税金を取って働く公僕なら、それが当たり前だと上司や先輩から学び、確かにそれが当然だと思ってきた。納税者の職場よりも、われわれの職場が立派で快適などということはありえないことであった。

しかし、日本の常識はそうではなかった。市民の税金で市民のために働くはずの公務員の職場は、地域で一番立派な場所で、給料も高いのである。フロリダ州では、給料も平均よりは低かった。まさに役人天国の実態を目《ま》の当たりにして、日本の官主主義の強力さを知った。また、これに市民が疑問を持たないことも驚きであった。

フロリダ州の州都はタラハシーだが、そこにあった州庁は、一九世紀に建てられた古いドーム屋根のビルで、実に簡素なものであった。アメリカの州都では、このような旧来のビルをいまだに州庁に利用している例が多いと聞く。フロリダ州の当時の州庁は、さすがに古くなり、アスキューの時代以後、二七階建てのビルに生まれ変わった。企業の誘致による経済の発展や、政治の透明化に尽くしたアスキューの名を冠して、それは「アスキュービル」と呼ばれているが、もしアスキューが現役中にその論議が起きていたら、彼はそれを許さなかったろうと思う。また、大きなビルだとは言っても、東京都庁のようなインテリジェント・ビルではない。公僕の職場という以上のものではないことは付言しておきたい。

■国のセキュリティ(安全保障)や軍事に対する驚くほどの無知

アンケート内にはごく少数だが、世界平和に対して軍事面で貢献をしようという姿勢が見られないというニュアンスの意見があった。

外国の人の中には、日本人の戦争アレルギーが理解できず、国としての自由や独立心なども含めて、なぜそれで安心していられるのだろうという思いを抱く人もいるかもしれない。

しかしながら、日本には自衛隊があり、その軍備は世界ランキングで七位を占めている。この「軍隊」は、その名の通り、自国が攻め込まれた時の備えであり、他国に行って軍事行動をすることはない。地震災害が頻繁に起こるこの国では、もっぱら災害現場が大きな活躍の場となっているようだ。

しかし、中国・台湾、ロシア・ウクライナや、イスラエル・ハマスなど、有事に対する備えは、軍備だけでなくマンパワー面でもしておくことは無駄ではないだろう。外に出て戦うことはないにしても、簡単には攻め込めないというような状況を作っておくことはやはりしておくべきである。おそらく日米同盟によってアメリカ軍は日本を必死で守るが、当の日本国民が、すべてお任せという態度では国の独立を守ることはできない。

その一助となり、また、将来に向けての方策は、アメリカのような「GIビル」制度をつくることではないか。

GIビルとは、国の軍隊に数年勤務すると、除隊後に大学などの授業料、その間の生活費などを国が負担するシステムである。

私は、フロリダ州立大学時代に、もし奨学金支給に値する成績が取れなかった場合は、この制度を活用しようと真剣に考えていた。当時のアメリカは、ベトナム戦争を戦っていて、兵士の不足が言われていた。もちろん戦争には行きたくなかったし、怖かった。反面、柔道、相撲で鍛えた体力には自信があった。留学生活を続けるための最後の砦《とりで》として、この制度があることは、一つの道標にはなっていた。幸いにも活用するには至らなかったが。

第二次大戦後、アメリカでは三〇〇〇万と言われる職が持てない元軍人で充満していた。政府はそのような元軍人のためにGIビルを準備し、軍に行かなければ大学に行けない人たちが学問を学び、その人たちがアメリカ経済の成長に貢献した歴史がある。日本でもよく知られているアメリカのテネシーバレー政策（ダム建設、発電、植林、洪水防止、肥料工場の建設などを行なったテネシー川流域開発公社の政策）はこの時期の取り組みであった。一方、隣の国韓国では徴兵制が存在する。

日本の自衛隊も、隊員が不足しているという報道がある。

日本でもこれから来る有事に備え（必ず来ると思うべし）、大学入学の資金が用意できない学生には自衛隊に入ってもらって訓練を重ね、ある程度の軍事訓練を経験した自衛隊員を育成し、退役後には国が奨学金を用意して大学、大学院に進む方法を考えてもいいように思われる。大学を卒業後も、軍事知識があり訓練を受けている予備兵となり、国の備えになる。

日本人のセキュリティや軍事に関する知識と経験は、世界から見たら考えられないほど乏しいものである。「平和ボケ」と言われても仕方ない状況の日本で、若者に国の防衛について考える機会があってもいいと思う。このシステムは国民に防衛の重要さを教えるのではないだろうか。

理想主義を貫くのはすばらしい。しかし、中国と台湾の件などは、侵略するかどうかではなく、最早いつなのかというレベルの問題である。同時に、中国が尖閣諸島を経て日本攻略を目指す状況になった時には、日本のリーダーはどうするつもりなのか。習近平の一帯一路構想は中国の世界戦略計画であることを理解してほしい。太平洋戦争時代の日本のリーダー(軍隊、政治家)が世界に向けて抱いた野望と同じだと考えておくべきである。

■傷口に絆創膏を貼るだけの政治

アンケートには、日本の政治家は近視眼的な政策しか作れないというようなコメントがあるが、確かに日本の政治システムは計画性が乏しく、長い時間をかけて仕上げていく漸進的な政策には向いていないようである。

一言で言えば、日本の政治はすべてにおいて後手《ごて》である。傷がついたら絆創膏《ばんそうこう》で治療すればいいといった風で、血が出なければそのままに放置だ。

アメリカでは、カーター政権が一九七九年のペンシルベニア州で起こったスリーマイル島原発事故をきっかけにして連邦緊急事態管理庁（FEMA：Federal Emergency Management Agency）を設立し、国の災害対策を始め、現在は全米で二万人近い職員が災害予測、計画作成、訓練を行なっており、アメリカ国民が安心できるシステムになっている。

日本は災害大国でありながらFEMAのような組織は存在しない。東南海地震、その他災害に対して入念な備えが必要である。FEMAでは一ドルの予防への投資は復興時期に六ドルの経費削減になると言われている。

能登半島地震においても、私の生まれ故郷である震源地の志賀《しか》町にある原発は、活断層の上に乗っていることがわかっていたそうで、背筋が寒くなるような思いを抱いている。能登地方では数年前から震度五前後の強い地震が頻発していたにもかかわらず、危険な原発を放置しているとは、どのような論理でそうなるのか聞かせてもらいたい。福島第一原発の事故では、東日本が危うく全滅しかけた。それからまだ一三年ほどしか経っていないのだ。

地元の住民がまず自覚して、自分が住む町のチェックを始めた方がいい。不幸にして大きな災害が起きてしまった場合でも、おそらくこの国は最低限のことしかしてくれない。

フロリダ州に住んでいた頃、ハリケーンが多い地域だったが、自然災害に対して恐怖を感じたことは一度もなかった。もしもの時の避難ルートや避難所、さまざまな備蓄、対応策がきちんとまとめられており、災害の際にいかなる行動をして自分を守ったらよいかが明瞭だったからである。

よく、想定外の状況ということを日本では言う。それは、日本社会に計画学がないことを示している。なぜなら、計画学では、想定外を許さないからだ。計画学では、Expect the Un-expected（予測できないことを予測する）を考え、それを潰していくことが必須になる。今の日本にはそういう対応をする気がないのだろう。

■アメリカのように官の仕事にもノルマを

政治に計画性がないということは、予算編成についても言える。年度末などに、いろいろな場所で恒例の「穴掘り」が始まるが、それが証明している。日本の予算編成においては、前年度与えられた予算はその年度内に使い切らなければならない。もし余らせたりすると、前年度の金額はその部署の予算として過剰だったとみなされ、次年度からの金額を減らされてしまうからである。減ってしまった分は他の部門に回されるため、なかなか取り戻しにくいことになってしまう。だから、最後に何でもいいから穴を掘って、無理にでも使い切るのである。この行事はもちろん、地域の土木業者の利権になっているから、業者側としてはこういうだらしのない実態を変えられると困るということにもなっている。

このような問題はアメリカにもあったが、一九九六年にフロリダ州では、Government Performance and Accountability（GPA：政府の実績及び説明責任）法が施行されて一気に解決した。どのような法律かというと、毎年の予算作成をゼロベースから行ない、次年度の予算は当年の目標達成度によって決められるということを定めたものである。

つまり、各省、部、課における目標達成が課せられるわけであり、もしも達成できなかった場合は、その理由を説明しなければならないことになったのである。

たとえば私が勤めていた商務省ならば、今年度はいくつの企業を誘致する、それによってこれだけの件数の雇用を確保するという設定を設け、それに準じて予算作成をするのである。目標が達成されなければ、説明責任が生じるし、当然ながら予算カットの憂き目を見ることもある。

もう少し具体的に説明すると、フロリダ州商務省アジア課では、〇〇件の企業を誘致し、〇〇人の雇用を増やすという計画を立てる。それを予算で割り、一社当たりの誘致のユニットコストが算出される。それが成就できていればよいということである。

官組織にもノルマを設け、予算を使ってその達成を目指す。目標は数値化されているので、できたかできなかったかが明白になる。そしてそれが、役人の責務になるのである。予算を使い切ったかどうかだけが問題にされる日本とは大きな違いである。

この変革は、多大な効果を生み出した。フロリダ商務省には、一九九七年から早速、州政府のアカウンタビリティ・チェックが入るようになった。そして、まず始めに商務省と検察や警察の半官半民化が開始された。商務省の経済開発局は、Enterprise Florida, Inc. に、観光局は、Visit Florida という組織に変わって、予算も州政府と民間とが協力して負担するシステムになった。なかなかドラスティックな変化だったが、その結果、一九九八〜九九期のアーンスト・アンド・ヤング会計事務所が提出した報告書では、それまでは一ドルに対し八〇セントしか還元できていなかった組織のパフォーマンスが、半官半民化以後、五ドル四〇セントに向上した。赤字だった企業が、優秀な組織に生まれ変わったのである。

職員は待遇が保証されていたとはいえ、結果を求められて大変だったろうが、このような変化が起これば、州の人々も納得しただろう。官は官の目的の遂行、民は利益追求で官の目的を効率よく実行するというＰＰＰのコンセプトが生かされたのだ。

■国会が一日延びたらいくら税金が必要かを知らされない国民

日本の政治では慎重なためか決定が遅いという答えもアンケートにあった。確かに、日本ではよく国会の会期が延長されたり、臨時国会が開かれたりしている。実はこれにも、かなり多くの経費がかかっているのだが、その説明はあまりされていないようだ。

アメリカの州政府では、議会の延長は非常に重要な事項である。フロリダ州では州議員は州の金を使って州都に集まり、二カ月滞在して次期予算作成を行なう。もしそれが延長される時には州民への説明が必要になる。なぜなら、私が勤めていた頃でも、一日の延長で税金が七〇〇万ドルかかったからである。

日本ではこのような折に、一日の延長でいくらの税が使われているか報告されるのを聞いたことはない。それらにかかる費用はすべて国民の税金である。時間内で予算を作成するのが選挙で選ばれた議員の責務のはずだが、これらの費用に関してはメディアも取り上げていない。メディアも国民の代表を自負するなら、先を争って報道してほしい。

また、帰国後驚いたことは、日本では選挙活動費も一部、税金で賄われていることだ。公僕になる前にすでに税金を使っている?「政治献金が使えないから」などという理屈は意味が通らない。政治家の勝手な法律だ。

日本人は納めてしまったものにはこだわらないのか、税金がどのように使われているかについて、あまり厳しく追及しないようだ。

私は、民主党政権時代に事業仕分けなる作業が行なわれた際にそれを感じた。民主党が行なった作業には、法的な拘束力がなかったため、作業後の処置まで手が伸びなかったのは、もったいなかったと思っている。国民が、自分たちの税金がどのように使われているかを知るいいチャンスだった。だが結局、タレント出身の女性議員などが活躍する見世物で終わってしまった。

あの作業を官庁全体で行ない、法的拘束性を持たせ、国会がその次のステップを踏まえた予算作成を行なえば、すばらしい結果が出ていたと思う。だが、日本の政府、官庁は協力的ではなかった。自分の首を絞める行為でもあるから、当たり前といえばそうである。そこがわかっていなかったのか、メディアもこの作業のサポートをしなかった。メディアはこの機会を捉えて、自分たちの税金がどのように使われているかという興味を視聴者に喚起する責任があったのではないか。それを怠った罪は重いだろう。

■「ふるさと納税」の返礼品競争よりもやることがあるのでは

私が思うに、日本の県政も、積極的な施策を好まず、「傷口に絆創膏」的な政治に終始していると思う。アメリカの州は、日本の県より規模が大きく、自治体としての性格もどちらかと言えば「国」に近い意識であるが、日本の県政は、アメリカの州政の真似から始めて、新たなブレイクスルーを狙ってもいいのではないかと思う。どのように人口を増加させるのか。どのように産業創出や、企業誘致を図るのか。そういった魅力の創出振興を考えた方がよいのであるが。

最近は豪華な返礼品が付く「ふるさと納税」が流行っているが、これも全県が右へならえになって、もはや飽和状態である。今後は返礼品の豪華さ競争になることは目に見えているから、コストパフォーマンスが悪化して長続きしないだろう。

参考までに、フロリダ州が成果を上げた方策を紹介したい。

私が勤め始めた時点では、フロリダ州の人口は全米で八位くらいであったが、二〇一八年にはニューヨーク州を超えて、二〇〇〇万人に達し、全米で三位になった。経済ではまだニューヨークが少し上だが、人口のトップ3はカリフォルニア、テキサス、フロリダで、次にニューヨークになる。

なぜ、このような形で人が集まってくるのか。

その理由は、フロリダ州政府が、アメリカ人が重要視する生活の質 Quality of Living を高める努力を不断に行なってきたからである。気候が良く、物価が安く、生活がしやすい場所となるよう、さまざまな施策が行なわれている。

中でも最も効果を発揮しているのはユニークな税制だろう。フロリダ州には州、自治体の所得税（日本でいう地方税）がない。よって、多くの高所得者（映画、スポーツなどのスター）がフロリダ州に住所を取得している。プロゴルファーのタイガー・ウッズもその一人だが、彼はカリフォルニア州からフロリダ州に移住することで、一年に十数億円の支出抑制が可能になり、そのお金でフロリダに数十億円の住宅を購入したと聞く。カリフォルニア州では地方税は一三％課されるが、フロリダ州はゼロである。こういう思い切った政策で高所得者をフロリダに呼び込み、彼らの消費や投資によってそれ以上の収益を得ようという考え方なのである。日本の県で、どこかこれをやってみる気はないだろうか。

これほど極端ではないにしても、アメリカでは人口増加策として税法や、インセンティブを考え、新住民を誘致しようとする。企業誘致も同じである。日本では各自治体は同じような法律で同じようなインセンティブで企業誘致を行なっているようだが、それでは結局、交通とか気候とかの工夫のしようのない環境面の勝負になってしまう。伸びる所は決まっており、さびれる所がだんだん増えていくという構図になっているゆえんである。

また、日本に帰国した後、地方税の高いことに驚いた。それで調べてみると、アメリカの自治体に比べて予算が非常に大きい。また、自治体の負債額が膨大なことも目についた。税の非効率使用も、私にとっては目を見張るものがある。

日本でも自治体の発展の政策の一つとして地方税を取らない、法人税、固定資産税の優遇で人口や企業を増やすといった方法が考えられると思う。税を低くすることで高所得者から一般まで人を呼び込み、地元経済の活性化を図る自治体があってもいいのではないか。

気候がいい、交通の便がいい、イメージがいいなどQuality of Livingが高い地域になるには、経済開発の一手段としての「レモンからレモネード」という手段がある。優れたレモンがあれば付加価値を付けてレモネードにすれば高く売れ、長く持つというコンセプトである。それぞれの「レモン（優位性）」を活用して「レモネード（成果）」を考えてはいかがだろうか。また、寒い、イメージが暗い、交通不便などの悩みを抱える地域でも、税が安いなど独自のレモンを創出すれば、他の自治体に勝てるレモネードを作るチャンスになると考える（中央政府がそれをさせてくれるかどうかはわからないが）。

フロリダ州のマイアミは全米では南東部の端であるが北米─南米を考えると中心になる。よって、州の努力でマイアミは南米に首都と言われ、金融、通信、交通、運輸をコントロールしているのである。

■自治体経営のエリートを作るシステムが必要

このようなことができないのは、自治体経営の素養のある人が首長になっていないからである。自治体経営にはやはりきちんと勉強した人を充《あ》てなければいけない。それを大学時代からしっかり勉強したという県知事は現在もおそらくいないだろう。国会議員が天下ったり、中央官庁で威張っていたりというような人が選挙で勝ったからといって、自治体経営ができるわけがない。今後は日本の大学にも、その専門学部や学科を確立し、そういう勉強をしているかどうかを、最大の選択基準にした方がいい。

アメリカでは、ビジネス界ではＭＢＡ（Master of Business Administration：経営学修士）を習得した人材が求められ活躍する。これは日本でも知っている人は多い。日本でも、ここ数年、ビジネス・スクールの設立が盛んになってきた。

しかし、公の仕事（官庁、政治家）を目指す人が、ＭＰＡ（Master of Public Administration：

公共経営修士)、他にPublic Policy(公共政策)、Political Science(政治学)、Urban Planning(都市計画)を習得した後、いくつかの自治体に勤めて経験を積み、エリートとなる資格を得るということは案外知られていない。

日本では専門とは関係なく就職するシステム(ゼネラリスト育成志向)で、自治体、国の役所に就職する。国の官庁では学部ではなく、卒業校(東大卒)が大切になっている。自治体経営のプロとなれるような教育がなくても、選挙で勝てば議員、首長になる。

アメリカの自治体経営は、ほとんどが専門の大学院で学んだシティ・マネージャーが行なっている。日本でもそのような形に変えていくことをお勧めしたい。

国政でも地方政治でも共通して、日本社会は、税金を使って仕事をする政治家と官僚に対する監視が甘い。税金の無駄遣いは真っ先にニュースの対象になるようでないと、現在のように国民を侮るような状態はなくならないと思う。法律や条例を決める際の賛否も各議員がどちらの立場だったかをメディアが発表し、議員は地元に帰った時にはその説明をする必要がある。戦前からの官主主義が横行する「上辺だけの民主主義」に甘んじるのはもうやめたらどうか。

■政府が恐れるメディアとアカデミアであってほしい

二〇〇九年に自民党から政権を奪った民主党が迷走を重ねたという悪い印象から、日本では当面自民党に代わって国を指揮する政党は出てきそうもない。「日本は民主主義の国です」と学校では教えて、社会に出てみたら官主主義の世の中でしたという目くらましの政治は、まだまだ続いていきそうである。

日本人は、政治家とは何をする職業かをもう一度考え、学び直す必要がある。自民党が公認する官僚上がりやタレント候補に投票しておけば安心という選挙民では、未来に向けての国づくりはできない。

メディアも現在のような横並び報道をどう考えているのだろうか。メディアとかアカデミア（学術界）というものは、政治や社会の正しくないことを指摘し、正すのが仕事であり責任なのではないか。

一つの例として、アメリカのメディアにおいて私が尊敬している人物のエピソードを伝えたい。

キャサリン・グラハム氏である。

キャサリン・グラハム

彼女は私が仕えた二人目のフロリダ州知事ボブ・グラハムの兄嫁である。彼女の夫は「ワシントン・ポスト」のオーナーであったが病に倒れ、彼女がそれを引き継いだ。もともと彼女の父、ユージン・メイヤーは、FRB（米連邦準備理事会。米国における中央銀行に相当）議長、世界銀行総裁などを歴任した人物で、低迷していた「ワシントン・ポスト」を買収した人物であったから、父の遺志を継いだとも言えるであろう。

一九七二年のウォーターゲート事件の時、彼女が率いる「ワシントン・ポスト」の記者が、共和党の盗聴事件を調べ、経営陣にそれの公表を迫った。それは同時に、ニクソン大統領と対峙することを意味していた。キャサリンの決断は、メディアの責任として政権と戦うというものであり、真実を公にしてニクソン大統領の辞任に追い込むに至った。自由の国アメリカとはいえ、このような時には熾烈《しれつ》な戦いとなる。相手を社会的に失墜させる、命を奪うなどざらである。その危険に立ち向かった彼女は、メディアのトップの鏡だと思う。

もう一人、私が尊敬するメディアの人がいる。ABCニュースのアンカーマンであったピーター・ジェニングスである。

彼はカナダ生まれで、最終学歴は高校中退だったと記憶する。しかし、努力と端麗なルックスで這い上がり、アンカーマンの座を手にした。私は彼の英語が好きで、真似をするために夕方六時半からのABCニュースを日課にしていた。彼の英語は純粋なアメリカ英語ではなく、カナダ訛《なま》りが残るイギリス英語だった。これが、非常にきれいな英語として私の耳を刺激した。

英語をきれいに話したいと思う人は、自分が聴いて、これだと思う話し手を見つけ、その人の英語を聴き、真似（聴いたことを繰り返す）をして学ぶことをお勧めする。聴いた後にすぐリピートし、その発音を真似して身に付けるとよい。私は、日本の学生から、どうしたら英語がわかるようになるか、話せるようになるかを聞かれた時は、一日一時間、CNN（アメリカ英語）かBBC（イギリス英語）を見なさいと指示していた。私の英語のクラスが始まった時、一〇%からよくても一五%ぐらいしか理解できなかった学生が、この方法を実行し、一

ピーター・ジェニングス

年で八〇%ぐらいまで理解できるようになった。それぐらい効果があり、またニュース・ショーとして楽しくもあるからよいのではないだろうか。

話を戻す。ジェニングスは亡くなる前に、死ぬに死にきれないと涙したことがあったそうである。ブッシュ政権が、大量破壊兵器を所有しているとしてイラクを攻撃した際、彼は共和党政府の本当の目的が、兵器消費（ミサイル一本数億円）のため、かつイラクの石油獲得にあったためではないかと疑念を抱いていた。後日、イラクは大量破壊兵器は所持せず、共和党支持の軍事産業、石油産業を潤す政策であったという事実が判明。命を落とした若い兵士たちに、アメリカ社会は何をもって報いるべきなのだろうかと涙をこぼしたのだ。

企業と密接に癒着する政権は間違いを起こしやすいと考える。しかし、往々にして共和党政権ではこのようなことが起こる。アメリカには産業政策の下での経済活動はないといわれるが、軍事産業はそれそのものである。

ジェニングスはデス・ベッド（死ぬ前に）で、なぜ自分はホワイト・ハウスの発表の裏取りをせずに報道し、税金の無駄遣いを見逃し、軍需産業の利潤追求を許してしまったのかを悔やみながら死んでいった。特ダネが出ないように「ぬけがけ」を許さない協定をつくっているといわれる日本のメディアにぜひ、この二人の先駆者のことを知ってほしいと思う。メディアの真の目的を追求していただきたい。

■国レベルの災害対策を担うメンバーが三五人しかいない！

日本には計画学がないということを先述した。世界の多くのエリートたちが指摘するこの事実を重く見た方がよい。

私が学んだアメリカの計画学では、短中長期（五年、一〇年、二五年）のビジョンで地域計画を作成した。大切なのは二五年後、三〇年後の自分たちの組織、役所の在り方を考え、合意し、その長期ビジョン実現のための短期、中期計画書を作成し、実行に移すというプロセス志向である。「傷口に絆創膏」では国民の利益や安全は守れないのだ。

日本では東日本大震災の後でも、災害対策のプロフェッショナルを国レベルで結集して、以後の防災計画を練るということは行なわれていない。現状を調べたところ、内閣府の中で災害対策のための人材を各省から三五人ほど集め、対応していますとのこと。メンバーには災害対策の経験も少ないようである。またメンバーは数年で入れ替わるため、プロの養成を目指したものでもない。これではとても、災害危機に準備しているとは言えないだろう。

一九七九年、ペンシルバニア州で起きた、スリーマイル島原発事故のことは、日本でも覚えている人が多いと思う。この頃のアメリカでは、災害対策は今の日本と同じように、基本的には自治体の責任であった。しかし、時のペンシルバニア州知事ディック・ソーンバーグは、ホワイト・ハウス（カーター大統領）に対し援助の要請を出した。カーターはこれに応えるとともに、前述した通り、この事件の対応のために、また、今後起こるであろう各州、地域での大規模な災害に備えるために、ＦＥＭＡ（連邦緊急事態管理庁）を設立し、その責任者に大きな権限を与え、大統領の名の下で仕事をさせた。

二〇〇五年のハリケーン・カトリーナ襲来の時には、上陸が見込まれたルイジアナ州の知事と、ニューオーリンズ市長に対し、ブッシュ大統領がＦＥＭＡの命令に従うよう指示している。

現在のＦＥＭＡは、国内に一〇の拠点を持ち、一万人近いプロフェッショナルが短中長期計画を作成し、訓練を行ない、すでに予測されている災害に備えている。前述したように、ＦＥＭＡは予防的な処置に一ドル投資すると、災害が起きた後の復興費が六ドル削減できると発表している。東日本大震災復興に二四兆円が投入されたと聞くが、予防対策として四兆円投資しておけば二四兆円は払わなくてよかった計算となる。

ＦＥＭＡのディレクターに採用される判断基準は学術的バックグラウンドではなく、災害援助をした経験がどれほどあるか、である。オバマ政権におけるディレクターは、元フロリダ州の災害対策責任者であった。私の母校のフロリダ州立大学で計画学を修めた人物である。フロリダ州ではハリケーン対策で多くのプロが経験を積んでいる。カトリーナの時も、ニューオーリンズに上陸する前にフロリダ州にも上陸したが、被害は小さかった。しっかりした被害予測や防災計画を持ち、訓練を行ない、いざという時の準備をしていたことが奏功したのであろう。

岩手県災害対策課長だった経歴を持つ本田敏秋元遠野市長は、過去一〇〇年に三回の大津波が三陸を襲った記録から、二〇一一年以前から訓練を二回行ない、自衛隊、警察、国交省などの協力も得ながら、来《きた》る災害に備えていた。

東日本大震災発生の翌日、二〇一一年三月一二日の午前には、遠野市の運動場には数千人の災害対策のプロフェッショナルが集まった。本田市長は前の晩に偵察隊を派遣して三陸地方の災害状況をおおよそ摑んでおり、集まった方々に指示を出して援助に出てもらうことができた。市長は自分にはそれを実行する法的権利はなく、国、県から非難される覚悟を持って指示を出したと説明している。日本にもこういう事例はあるが、あくまでもリーダーの自覚と行動力によるもののようであり、国レベルでの備えの成果というものではない。

私は日本も、ＪＥＭＡ（Japan Emergency Management Agency）を設立すべきだと考える。そして、本田元市長のような人物を初代の責任者とすべきだろう。そこに各省、各県から災害対策の経験者を集め、What If（有事）の精神で災害対策計画を作成し、人材を育成し、予算を準備し、未来の大災害に備えることが必要だ。

日本には三〇年計画というような長期計画の意識が非常に薄いと思われる。能登半島地震の報道を見ても、不安が募るばかりである。国の大規模災害対応の組織がない、長期計画がない、災害訓練をしていない、予備金も準備していない。これでどうして国民の不安を取り除くことができるのだろうか。アメリカのＦＥＭＡが一万人体制なのに対し、日本の内閣府の担当チームは三五名であることをお伝えしておきたい。アメリカのカーター大統領が行なったように国の災害対策に従事する職場を一緒にまとめて、国交省の地方整備局を含め、三〇〇〇〇人以上の職員をＪＥＭＡは雇うべきであろう。国民の安心安全を確保するのが政府の責任であるならば。

■コロナワクチンが作れなかったという現実

今回のパンデミックにおいても、日本の政治はその弱点を露わにした。先進国であるはずの日本で、ワクチンが作れなかった。その後二年以上経った今でも作れない。

　こういう事態を日本人はどう考えているのか。税金を納めさせておきながら、このような国民へのサービスがないがしろになっていると認識した方がよいのではないか。こういうことの研究が多角的に進んでいないから、外国からワクチンを購入せざるを得ず、多くの税金が出ていった。もしワクチンの開発ができていれば、逆に外国にそれを売り、多くの国益を得ることができていたかもしれないのだ。これからのことを考えるなら、バイオ産業、ＡＩ技術、サイバーセキュリティなどについて、早急に、発展をサポートするための計画的な戦略を持った方がよい。

　一昔前になるが、フロリダ発の新薬の日本での承認をめぐって苦い経験をしたことがある。アメリカも新薬承認には慎重ではあるが、日本はそれとは比べ物にならないくらい遅い。日本では新薬承認をＰＭＤＡ（Pharmaceutical and Medical Devices Agency：医薬品医療機器総合機構）という組織が行なっている。ＰＭＤＡ内の新薬承認をする博士号を持つ科学者・スタッフは五人前後と聞いた。アメリカでは新薬承認はＦＤＡ（Federal Drug Administration：食品医薬局）が行ない、同じ時期で五〇〇人以上の博士号を持つ科学者・プロが携わっていた。日本人はこのような事実は知らされていない。長期計画を立てる習慣がなく、計画書に沿ってその準備をする習慣もないから、このような事態が放置されるのである。それは日本国民に何もいい結果をもたらさないであろう。

東日本大震災の後、私はアメリカのＦＥＭＡの国際部長にコンタクトし、日本への協力、指導は可能かなどを聞いたことがある。この女性部長は、もちろんサポートはおしまない、国際協力をするのが私の仕事ですと答えた。加えて、アメリカはRing of Fire（太平洋を囲み、南米—北米—日本—アジア—オーストラリア・ニュージーランドの近海にある環太平洋火山帯）の中で地震、津波、洪水に対して国家連携でお互いに助け合う必要があると考えていると述べた。

東日本大震災の直後、アメリカは三陸沖に艦隊を停泊させ、他国からの侵略に備えた。日本人には、まさかと考える人が多いかもしれないが、終戦の時に何が起こったかを思い出せば普通のことなのである。

コラム　日本の負債の大きさについて

日本は国、自治体ともに莫大な負債を抱えている。この現実について、日本人全員が理解しておかなければならないので、特に書いておくことにする。

まずは、一六四ページのグラフを見てほしい。これはＯＥＣＤ（経済協力開発機構）が作成した、各国の財政状況を示すものである。

アイスランドやギリシャは、すでに財政破綻（国家破産）をしてしまい、ＩＭＦ（国際通貨基金）などから融資を受けて再建中である。一九九七年の末に、韓国がアジア通貨危機から緊急事態に陥《おちい》り、同じようにＩＭＦに緊急融資を受けたということもあった。

国家は、倒産（財政破綻《はたん》）するものなのである。

日本は、経済大国でＧＤＰではドイツには抜かれたがまだ世界では四位だから心配ないと思っていてはいけない。自分の国の財政の現実を正しく知り、政府や官庁が税金を無駄遣いすることがないよう、監視を怠ってはならない。

さて、日本の財政の現実であるが、はっきり言って最悪である。世界四位を誇るＧＤＰ

GDP国債残高比

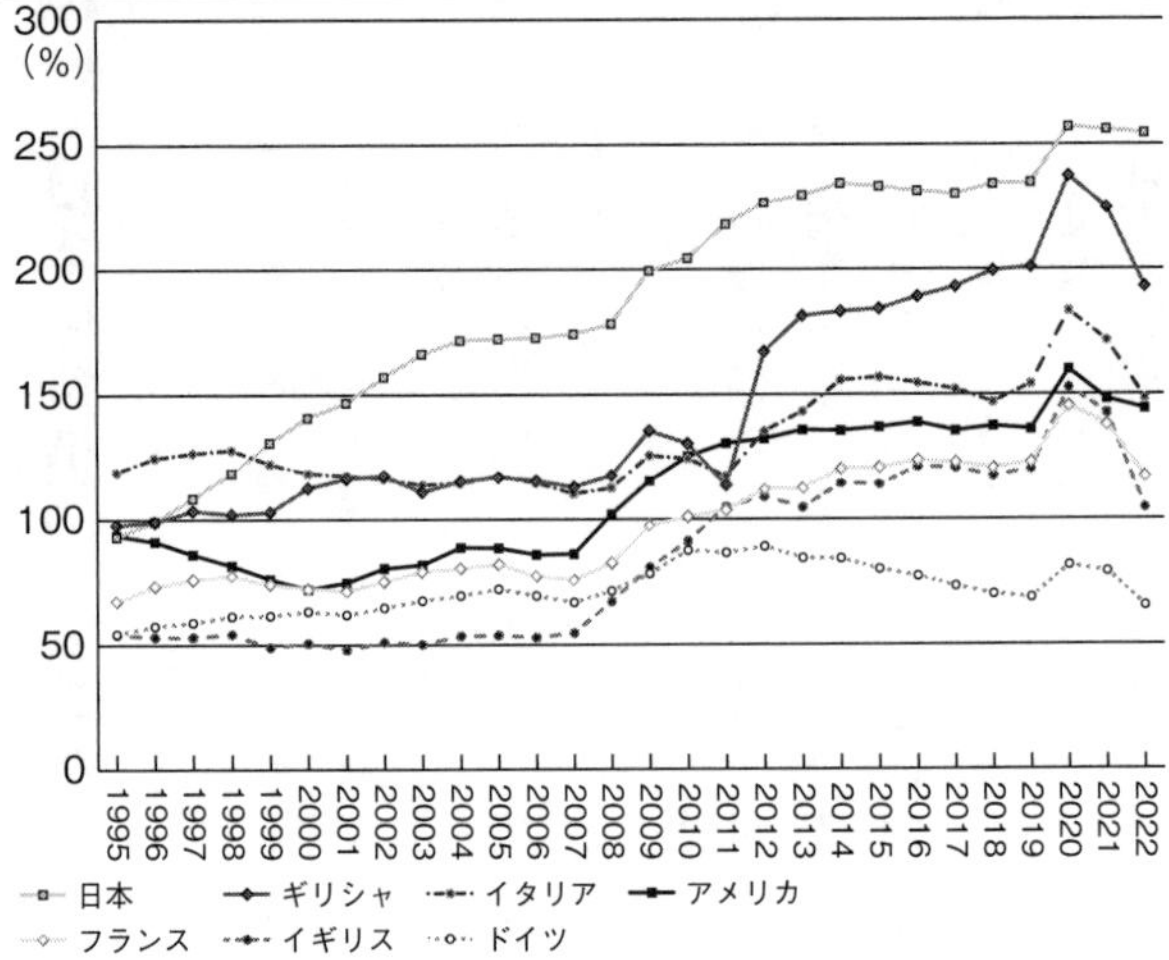

に対して二八〇%に迫る負債額になっている。幸いなことに、国民の保有する金融資産を投入すればまだ返済に余裕があるということで、IMFなどからの融資を検討すべき事態にはなっていない。しかし、このままではおそらく、いつかそう遠くない将来にその日が来ることは間違いない。それが現実だ。

GDPの伸びと負債額の増加の差を示す「ワニの口」のような形が、だんだん開いていく状態にあり、何とかこの拡大に歯止めをかける必要がある。ワニの口が広がりゆくまま、負債が資産を追い越す日が来た時に、日本の国際的信用は地に落ちるのである。

日本経済の推移と現状

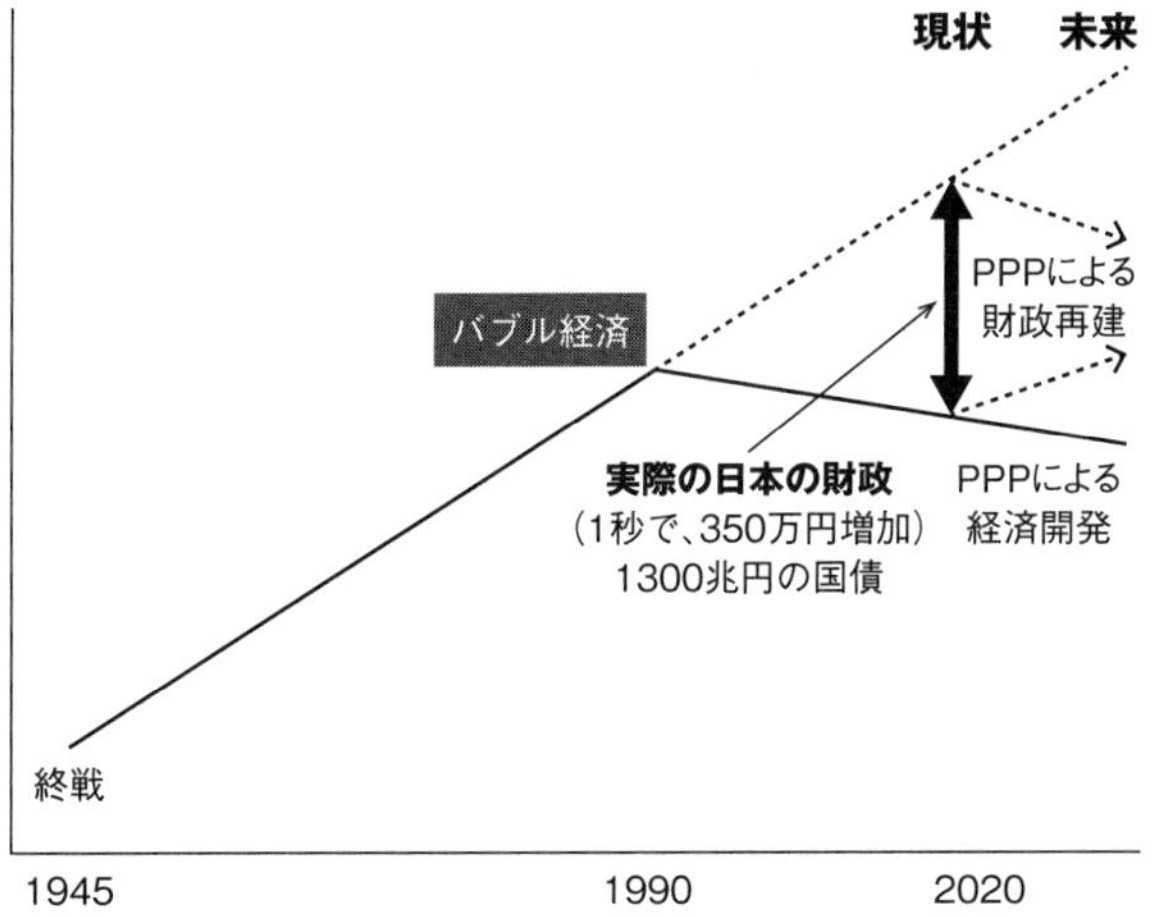

ちなみにこのワニの口は、一秒で四〇〇万円分ぐらいずつ広がっていっている計算になる。また、現在の負債総額一二〇〇兆円は、国民一人当たり一〇〇〇万円ずつ借金を抱えさせられているのと同じ数字であるとも言える。クールで効率やコストパフォーマンスに厳しいZ世代の若者たちは、もしかしたらどこか違う国に国籍の鞍替《くらが》えを考えるようになるかもしれない。

レーガン政権時代の負債をどう返済したのか

アメリカでも、レーガン政権の時代に、国の負債がGDP（世界一位）に対して一三〇％近い数字になったことがある。アメリカ政府ではこれを問題視した。一九八五年に共和党、民主党が共同で、負債返済のためのバランス・バジェット法（グラム・ロッドマン・ホーリングス法）を成立させ、早期の負債の縮小を図ったのである。それから七年後、クリントン政権の時に、負債はゼロになった。レーガン、ブッシュ（父）、クリントンと、大統領三代でこの現実に対応したのである。普段は両党が一致協力することはない。

二〇二二年に、再びアメリカは、GDPに対する負債総額が一三〇％に到達してしまった。議会が決めている三一兆ドルの上限への到達である。当然ながら再び、これをいかに返済するかで論戦が始まっている。

しかし、アメリカは少なくとも負債ゼロとするための方策を考え、かつ、負債の上限額も決めている。これは、自国の経済の「身の程」を理解して、限界を確認済みだということである。

ところが、負債がすでに自国GDPの二八〇％になっている日本にはそれがない。月一〇〇万円の収入がある人が、二八〇万円支出するということになるというと、そういうたとえは不適切であると財務省は否定する。

日本版の緊急負債処理法案を研究すべき

さて、これも財務省に不適切だと言われそうな、簡単な計算方法ではあるが、現在の負債を返済するための条件設定を考えてみたい。

まずは、アメリカで考える。日本と比較するために、日米両国とも増税で対応しようとする前提にする。

(1)アメリカでは、たばこ、酒、ガソリンなどいくつかの商品以外には国の消費税はかけていない。地方税としての消費税はあり、生活必需品とみなされるものは無税である。国の経済は十三%の成長をしている。

(2)これを踏まえて、国が五%の消費税を徴収することにする。

(3)負債が増えないと仮定すれば、この方法で約一六年で負債ゼロを達成できる。一〇%の消費税なら九年である。

アメリカは一九八五年―九一年の経済成長により、増税しなくても負債は解消された。アメリカはこれでめでたしめでたしである。増税はなかなか国民が許しそうもないにしても、いざとなればなんとかなる範囲での解決が図れそうだ。

しかし日本の場合は、アメリカと同じ方法で計算してみようとしても、それが成り立たない。経済が成長していない。負債は年一〇％前後で増加する。だから、国の消費税をアメリカのように五％増やしても、負債の増加に追い付かない。負債が減る計算が成り立つ消費税率は現在に対し三〇％の増加をしたときだから、消費税を四〇％にすることが必要で、これで一三年かかることになる。

消費税四〇％は、北欧の福祉国家の国々でもさすがに前例がない。北欧でも三〇％を超えている国はないのである。

これはどのような現実を示していることになるかというと、日本の場合は、経済成長をしない限り、政策で負債を返済していくことはできないということである。いくら金融資産があるといっても、国の借金返済に国民がそれを使っていいと言うわけがない。

これからの日本に必要なのは、経済成長路線に復帰するのが前提であるが、アメリカのバランス・バジェット法のような日本版の緊急負債処理法案も研究した方がよい。一九八五年のアメリカのやり方をコピーしてもよいではないか。時間のあるうちに、その研究に乗り出すべきである。

第三章

日本経済の強みと弱み

【アンケート4】日本経済の良い面、悪い面とは

アメリカのエリート九名の答え

S氏

➡日本経済は大手企業の成功に依存するところが多いように見える。

➡政府へのロビーイングが強く（アメリカも）、企業―政府間の関係が強くなっている。

➡多くの役人が退職後民間企業に移る（天下り）ことが汚職につながる。

➡日本は貿易、国際協力（ＯＤＡ）で国際貢献を他国に負けないよう努力してい

る。

⬇意思決定は遅いが、アメリカにとっては信頼できるパートナーである。

C氏

⬇長所：ビジネス・イノベーション、効果的ビジネス手法、高品質製品、世界でのイメージが良い。

⬇短所：国の小ささが、資源の限界、市場の小ささ、生産力の限界、輸出に頼る経済につながる。

D氏

⬇長所：製品の精密さ、高品質、個人よりコミュニティを優先する姿勢が、会社の成功につながっている。企業家精神が根づいている。最近は観光、投資誘致に力を入れている。

⬇短所：人口問題、中国への依存。中国が世界の工場になり、サービス、技術でも世界の競争相手になっている。若い世代のライフスタイルは次世代の日本の人口の安定につながらない。

Z氏

⬇長所：短期的結果より長期的計画手法。

⬇短所：年功序列制度は今の世の中に合っていない。

M氏

⬇長所：強い産業基盤、高い生産能力、車、製品、サービスの高品質。
⬇短所：日本製品、サービスは高すぎる。政府のサービスの諸経費が多すぎる。

R氏

⬇長所：高い生産能力、輸出産業の強さ。労働者の質は非常に高く、仕事、会社、サービス提供でのロイヤリティが高い。
⬇短所：・多くの国民の高齢化問題。
・外国人労働者を受け入れない政策。
・政府、企業での意思決定の際に下からの提案が少なく、経済機会を失ったり、問題解決につながらなかったりする。
・国は苦しい状況では個人、グループ、政府、ビジネス、NPOなどが協力して問題解決に対応する。日本はこの危機からの脱出のために、上の組織、個人が一緒になり短長期の問題解決、チャレンジに立ち向かうべきである。

H氏（女性）

⬇長所：技術革新、高品質製品の製造。世界では日本製品が好まれている、労働意欲もすばらしい。

⬇短所：日本は資源が限られ、高齢化問題を抱えているが、外国からの労働者導入を行なわない。外国人労働者を受け入れることで日本の質、生活が変わるかもしれない。私は導入に賛成である。

B氏

⬇日本経済は世界でも有数である。

⬇人口問題は深刻である。
⬇世界の気候変動問題に貢献してほしい。
⬇福島の経験を世界に伝えて、世界のエネルギー問題にも貢献してほしい。

K氏

⬇長所：日本経済の力、潜在性は計り知れない。しかし、国の高齢化、また、負債問題も大問題である。ただし、解決できないものではないと考える。
⬇短所：・日本経済における情熱、イノベーションへの意欲は昔に比べ衰えている。
・一昔前は『ジャパン・アズ・ナンバーワン』などで示されたように日本経済は世界に君臨していた。六〇～八〇年代では日本の企業のトップはアメリカに対し、アメリカは農産物を作ればよい、製品は日本が作るという横暴な発言もあった。八〇～九〇年代のアメリカのコンピューター技術発展（アップル、マイクロソフト、グーグル、アマゾン）でそのような発言は全く意味のない言葉であったことが証明された。バブル崩壊、失われた数十年（三〇年）で日本のリーダーは目的を失った。

・日本の民主主義は成熟したものであり、世界四位（三位の間違い、アンケート回答時はドイツに抜かれる前だった）の経済である。ドイツ経済はそれよりも小さいがヨーロッパ民主主義のリーダーであり、国際協力、ヨーロッパ経済発展に貢献している。日本は同じような貢献がアジアでできるはずである。統率主義の中国に対し、経済で世界ランク一〇位前後の力を持つ民主主義の韓国と協力して対抗すべきである。両国の経済力、技術力を駆使することで中国に対抗できる。ヨーロッパではそのような協力関係がソビエト連邦の崩壊を起こしたのである。

・日本の高齢化は大きな問題である。イタリア、ドイツも高齢化問題を抱えているがEUを通じて労働者確保をしている。日本はどうするのか。

・日本は技術を持つ労働者に対しもっとビザを発行すべきである。外国人労働者を受け入れることで労働者問題が解決し、高齢者問題を解決できる。数学的に考えて生産性も向上する。高齢者救済ができる。

・女性の労働市場参画の遅れも問題である。日本では歴史的に女性は男性より低い条件で仕事をしてきた。安倍政権でウーマノミックスを掲げたが、パンデミックで失敗したようである。

・パンデミックは労働市場の変革を余儀なくした。テレワークの普及により、性別、年齢関係なく、多くの作業が家でできることが明らかになり、高齢化問題への解決の糸口が見つかった。

・日本の雇用者は時代遅れのアイデアでサラリーマンの長時間労働を放置している。生産性は週四五時間を超えると低下し、三八時間以下だと生産が上がることが判明している。長時間労働をやめることで労働者は家族との生活を楽しめるようになるのである。北欧の国々がその好例である。

・今、日本は人口減少問題を抱え、労働市場改革に貢献できる状況である。オフィス、リモート・ワークのミックス、技術革新、女性参入などのシステム改善で世界貢献ができる状況にあると言える。

アメリカのエリートの日本観

- 日本製品は高品質で世界的な人気を持つ。
- 人口減少と高齢化の悩みは深い。
- 外国人労働者に門戸を開かない。
- 女性の政界、労働市場への参入が遅れている。
- 経営者の考え方が古く、年功序列と長時間労働を好む。

ヨーロッパのエリート六名の答え

B氏

⬇長所：高い教育レベル、最先端技術を持つ。

⬇短所：・低出生率から、将来の働き手の不足が見えている。

・雇い主が長時間労働を強要し、生産性低下、起業家精神の低下を起こしている。

・民主主義でない、アン・フレンドリーな隣国（中国・北朝鮮）からの脅威も問題である。

N氏

⬇長所：高品質製品の製造。

⬇日本経済は他国との提携で外に積極的に出るべきである。日本が世界に出た時には常に日本経済、世界経済の成長に貢献した。これを再び目指すべきである。S

DGsなどを活用することで世界に貢献できるのでは。

J氏

➡長所：・日本は産業国としてG7でもG20でも裕福な国である。
・災害に強く多角化した製造業、サービス産業を持つ。
・政府、企業、大学が連携して経済活動に貢献している。海外に出てみると日本のJICA組織が企業、大学と協力している事例をよく目にする。
・日本の美しさ、透明性のあるシステムはこれからも観光客を増やし、ビジネスを繁栄させると考える。
➡短所：・高齢化問題が起こっており、出生率が低く、外国人労働者を入れない日本は近い未来において大きな労働者問題を抱えることになる。
・R&D（研究と開発）投資の減少で製品開発、中小企業の生産性問題を引き起こす。

・長期低金利政策によって、株式市場が八〇年代後半をピークに低迷を続けている。少し改善の兆しは見えているが。

S氏（女性）

➡日本経済は世界でも重要な地位を占めている。

➡技術革新で輸出産業を成功させている。地理的には不利（極東）でありながら経済成長を成し遂げている国である。

Z氏

➡長所：・日本経済は多角化され、抵抗力を持つ経済である。

・R&D投資が日本経済のエンジンになっている。
⬇短所：製造コストが高い。

B氏（女性）
⬇長所：・教育が経済成長に大きく貢献している。
・日本の高等教育は先進国でも優れている。かなりいいレベルと自負しているトルコと比べてもすばらしい。生徒は他国に比べそれほどプレッシャーを受けて勉強をしていない。
⬇短所：言語教育では、時代遅れのシステムで教えることから、英語力を身に付けることが難しい。英語ができることで教育程度が上がるだけでなく、より知識を持つ人間形成につながる。

ヨーロッパのエリートの日本観

- 日本経済は世界の中でも重要な地位を占めている。
- 一九八〇年代までのような勢いは失われている。
- 低出生率や高齢化問題があり今後に不安がある。
- 株式市場が低迷している。
- 研究開発投資が減少している。

アジアのエリート一〇名の答え

マハティール閣下

⬇日本経済は多角化された製造業、サービス産業を保持している。これがイノベーションを生み、R&Dに反映され、新しい技術開発のパイオニアになっている。
➡日本の低い出生率は弱い未来経済をつくり上げる。これは現世代が今対応しなければ未来の経済の持続性は望めない。

K氏

➡長所：イノベーション、インセンティブ、能力のある勤勉な労働者。
➡短所：・経済成長が世界に比べ遅くなった。車産業、工事現場、エレクトロニクス分野で、低資源への対策ができていない。未来は暗い。
・英語力が国民にない。
・災害に弱い。

J氏

⬇長所：強い製造力、技術革新、スキルのある労働者。これらが車産業、製造業、エレクトロニクス、ロボット、高速鉄道を生み出した。しかし近年では中国、台湾、韓国にその地位を奪われている。国のインフラ、交通システムは国の経済成長に貢献している。日本経済の成長はこれらの長所を活用し、開発途上の国々でのネットワーク開発を行なうことから生まれるのでは。特にアジアでAsian Wayで行なうことで。

⬇短所：経済改善が遅れている。これが日本の競争力低下につながる。改善のために、オープンなネットワーク開発を、日本の長所である社会的文化を活用して行なうべきである。

N氏

⬇長所：技術革新、強い製造力、能力のある労働者。

⬇短所：長期にわたるデフレ問題、高齢化問題、移民政策、男女平等問題、非常に深刻な政府の負債問題。

R氏（女性）

⬇パンデミック後の日本円は低下を続けている。

⬇国の経済は社会の価値観の影響を受ける。複雑な問題ですぐに答えられない。

F氏

➡日本円の低下は輸出を助け、観光客を呼ぶ。
➡問題は国の負債問題である。

K氏

➡長所：政府の安定性、輸出力。
➡短所：経済発展が遅い、輸出に頼りすぎる、経済の単一性（多角性がない）。例：
コロナ↓観光業ダウン

K氏

➡経済システムが硬直的すぎる、フレキシビリティがなく、オープンではない。
➡男性優位の問題が大きい。

⬇現システムは今までの製薬、メカニカル、車産業にはよいかもしれないが、来るデジタル産業開発には向いていない。

S氏

⬇長所：成熟した経済で企業は高い競争力、イノベーション技術を持っている。
⬇短所：労働者は重労働、長時間労働を強いられる。しかし、給料、インセンティブは他の西洋の国に比べ低い。

I氏（女性）

⬇短所：ぜいたくな生活習慣が問題、人口減少は未来の日本経済を弱くする。

アジアのエリートの日本観

- 高品質な製品やサービスを生み出している。
- 通貨が下落している。
- 男性優位の硬直的なシステムである。
- 長時間労働が改善されていない。

アフリカのエリート四名の答え

A氏

⬇工業化、勤勉さ、国民の団結が世界でインパクトのある経済を作っている。
⬇市場が閉鎖的。オープン性、多角性を早急に身に付ける必要がある。

K氏

⬇長所：国の経済体制、経済成長計画。

⬇短所：・高齢化、人口減少による労働力減少、低出生率。

・中国、ロシア、北朝鮮からのプレッシャー、来るインフレ問題。

S氏（女性）

⬇長所：・技術革新、イノベーション、高品質製品による高い経済力。

・技術力、細やかな気配りのある製品開発、製造での精密さ、製品の信頼度、耐久性などの技術が日本経済をサポートしている。

⬇短所：・高齢化、低出生率、経済の多角化が問題となる。

・デフレが消費を抑え投資、経済成長に影響を及ぼしている。国内需要拡大策、デフレ対策はこれからの経済政策にとって重要である。

C氏

⬇長所：国の効果的な経済システム・政策がマクロ・ミクロ経済を支えている。
⬇短所：海外への投資環境が日本企業の海外進出を抑えている。

アフリカのエリートの日本観

- 効果的なシステム、政策を伴った経済である。
- 低出生率と高齢化が不安要素となる。
- 海外志向が薄く、成長を阻《はば》んでいる面がある。

日本のエリート四名の答え

H氏

➡長所：製造業を基盤に雇用が安定し、中長期利益は見込める体制。
➡短所：ＶＵＣＡ時代（予測困難な時代）で新しいことを生み出す、変革に対応する能力——これが日本の課題と思われる。

K氏

➡長所：それほど顕著ではないがモノ作り文化がある。
➡短所：・一億人超の人口があり、世界三位（二〇二三年現在）の経済は国内市場で支えられているため、内向的で海外市場で戦える企業が少ない。
・年功序列で世代交代ができず、若手の活躍余地が少ない。

I氏

➡長所：労働レベルの高さ、勤勉な労働者。
➡短所：・イノベーションができにくい環境、社会環境は規則が強く、社会の表に出ない階級が存在する。
・国民は気力をなくしている。

T氏（女性）

➡長所：世界三位の経済（二〇二三年現在）、それなりの技術を持つこと。

⬇短所：リスクを取って挑戦する傾向がない。

・各市場の特殊事情に、臨機応変に対応する能力に欠ける。

・中国はノーに対しカウンターの提案をするが、日本企業はイエスかノーしか言えない。

・未来の経済で日本が好転するとは思えない。

日本のエリートの日本観

・国内経済でやっていける力を持つ。

・その裏返しで、内向的である。

・リスクを取らない。

・世代交代ができていない。

■「ミラクル」と呼ばれた高度経済成長期のイメージを引きずる

日本経済については、政治とは異なり、世界のエリートたちも先進的な経済であると一応の肯定はしている。

批判的な側面では、低出生率のため将来の働き手不足の不安があることや、高齢化社会であり人手不足が表面化していながら、外国人労働者の導入に積極性が見られないことへの不満の声が大きいようだ。

ただ、創造力があるとか、新規性があるとかの意見は聞かれず、「昔はもっとすごかった」というような見方が目立つことが危惧されるし、私もそのあたりには全く同意見である。

日本経済は明治維新後また第二次世界大戦後に、世界でも類を見ない経済成長を成し遂げた実績がある。明治政府は欧米諸国を模倣した経済政策や、富国強兵・殖産興業と呼ぶ産業政策をもとに、政府と民間企業が共同で近代国家への道を邁進し、植民地にならないだけの経済力・軍事力を持つことに成功した。

政府が政策を発表し、民間が政策を遂行するという日本の財閥システムがそれを可能にしていた。これは、第一章のアンケートの答えにもあったが、グループの力で目的を達成していく日本人の強さと考えられる。

日露戦争後の経済の行き詰まりの出口を求めて、欧米列強の経済成長政策であった植民地獲得政策に手を出したが、これは時代的に遅すぎて失敗し、第二次世界大戦で敗戦国となり、アメリカによる占領を受けることになった。

アメリカも、経済成長ではヨーロッパの国々よりも遅れたため、ヨーロッパの国々のような植民地政策は実現できなかった。二〇世紀前半に終焉した植民地政策は、経済力を活用した世界戦略であった。この時代までの最強の国はイギリスである。

日本経済は、占領の終了後、再び官と民が一体になって国の経済成長産業政策を作成し、アメリカその他の国の援助の下、輸出産業重視の経済成長を遂げた。このシステムは大成功し、世界第二位の経済をつくり上げた日本の経済成長を、世界の人々は「ミラクル（奇跡）」と呼んだ。日本経済に対する世界のエリートたちの考え方は、このような背景によってもたらされていると言えるだろう。

■一人当たりGDPでは世界で三七位

よく言われる、「GDPが世界で何位か」ということで考えたい。

1人当たりの名目GDPの国際比較

順位	国名	1人当たり名目GDP（単位：千ドル）
1	ルクセンブルク	140.31
2	アイルランド	117.98
3	スイス	110.25
4	ノルウェー	102.46
5	シンガポール	91.73
6	アイスランド	87.87
7	カタール	84.90
8	アメリカ	83.06
9	デンマーク	72.94
10	マカオ	70.13
11	オランダ	65.19
12	オーストラリア	62.60
14	オーストリア	60.59
18	ドイツ	56.04
19	カナダ	55.53
20	香港	54.08
21	イスラエル	54.06
22	イギリス	52.43
23	アラブ首長国連邦	52.41
24	フランス	48.22
28	イタリア	38.93
29	プエルトリコ	37.77
34	スペイン	34.93
36	韓国	34.65
37	日本	34.55

（IMF2024年のデータより筆者作成）

名目GDPの国際比較

順位	国名	名目GDP（100億ドル）
1	アメリカ	27.97
2	中国	18.56
3	ドイツ	4.70
4	日本	4.29
5	インド	4.11
6	イギリス	3.59
7	フランス	3.18
8	イタリア	2.28
9	ブラジル	2.27
10	カナダ	2.24

（IMF2024年のデータより筆者作成）

日本の人口は一億二三〇〇万人で、ヨーロッパの先進国に比べ約二倍（ドイツ・八四〇〇万人、イギリス・六八〇〇万人、フランス・六五〇〇万人、イタリア・五九〇〇万人）ほどである。だからざっくり言えば、一人当たりGDP（per capita GDP）でヨーロッパの国々の半分を超えれば、国全体のGDPでは上になる。

現在二位の中国は、人口が一四億人以上（日本の一〇倍）だから、個人収入で日本の一〇分の一を超えた時点で、日本より上になっているということになる。そういう計算であるから、人口一四・二億人のインド、二・七億人のインドネシアなどの国々は、近い将来国のGDPで日本を超えていくと想定されている。

危惧すべき問題なのは、二〇二三年暮れに、ドイツのGDPが日本を抜いて世界三位になったことである。ドイツの人口は、日本の六八％である。ドイツの一人当たりGDPは五万六〇四〇ドル、日本は三万四五五〇ドルで、この格差がさらに広がって、今回の順位変動になっているというのが現実だ。この、個人生産性の低下傾向が、経済サイズの大小よりも重要な指標であることは言うまでもないであろう。だんだん稼げない国民になっていると言われても、その通りですと言うしかない。

一人当たりGDPで考えると、日本はすでに韓国に抜かれ（一九七ページの図）、近い将来に台湾にも抜かれていくという統計上の予測がすでに出ている。世界五位のシンガポール（九万一〇〇〇ドル）にはすでに大きく水をあけられている。日本は三七位だ。日本人はそれでよしとするのだろうか。もともとその能力がない国民なら仕方がないが、私は日本人の巻き返しに期待したい。

国のリーダーにビジョンがなく、このような結果を招いていることに、非常に残念な思いである。

■お金に関する国際常識の欠如を露呈した不良債権処理

一九八〇年代の後半まで、日本は産業政策中心の経済成長を続けたが、バブル崩壊によって躓《つまず》いた。

当時の日本経済の成功は、ハーバード大学教授エズラ・ヴォーゲルが『ジャパン・アズ・ナンバーワン』という本を出版するほど国際的な注目を浴びていた。アメリカに住んでいた私の周辺でも、日本企業の進出が目立った。東京の山手線の内側の土地の値段でアメリカ全土が買えるといわれたくらいの勢いで、「田渕さん、仕事する国を間違えましたね」と日本のサラリーマンから言われたこともあった。

だが、バブルが弾けると、単なる成り金にすぎなかった日本の金融機関、不動産会社には、莫大な不良債権の処理をする能力がなかった。アメリカから派遣された不良債権処理グループ（セカンダリー・ファイナンス・スペシャリスト）にその後始末をしてもらうしかなかった。日本のバブル崩壊に伴い、当然アメリカの金融機関にも不良債権が発生したが、その処理の責任者であったウイリアム・シードマン（元アリゾナ大学ビジネススクール学部長）が、その内実を明かしている。

アメリカでは約五〇兆円の不良債権処理に公共資産（約二〇兆円）を活用した。一〇万社余りの企業から人的、金銭的援助を仰ぎ、独自の数百人のスタッフによって解決策を決定、いわゆるハード・ランディングを行ない、七、八年でこの問題を解決した。

だが日本では、大蔵省内に数十名によるチームが作られ、二〇〇兆円以上存在すると言われた不良債権処理に対し、公的資金を使用せず、二年でソフト・ランディングすると言っていた。アメリカのセカンダリー・ファインナスのプロの間では考えられない発言である。まさに「絵に描いた餅」だった。しかし、実情を知らない日本の政治家、国民、メディアはこの説明を受け入れたのである。案の定、計画は全くうまくいかず、日本の金融は危機的状況に陥り、最終的には数十兆円の公的資金（税金）が使われたということである。

この件ひとつを見ても、いかに日本経済に国際的常識が欠如していたかということがわかるであろう。アンケートに答えた世界のエリートたちが不安を抱いている閉鎖性は、いまだ解消されていないのである。

■大企業、役所に入社して安定したい日本の若者

「失われた三〇年」という言葉の背景にある現実は、独自の新しい産業を創造することは日本人には難しかったということである。

その後の世界経済は、ＩＴ化社会の発展を目指す情報産業によって推進された。ビル・ゲイツのマイクロソフト、スティーブ・ジョブズのアップル、マーク・ザッカーバーグのフェイスブック（現メタ）、ジェフ・ベゾスのアマゾンなどが主役になる時代だった。いずれも小さなオフィスで数人で始めたベンチャー企業である。

アメリカでは起業を志す人が多い。私には息子が三人おり、いずれもアメリカで暮らしているが、彼らも大企業で働くことに魅力を感じてはいない。やはり自分で起業することに夢を持っているようである。このような若者のマインドの違い、ひいてはそれを育てる教育や環境の違いが、経済全体の創造性に歴然たる差をもたらしているのである。

二〇二三年末にドイツに国のGDPで抜かれて四位になり、数年後にはトップ一〇ギリギリまで落ちると予測されている日本経済は、このままズルズルと落ちていってしまうのであろうか。

奇跡的な経済成長を成し遂げた日本は、政府も経済界もリスクを取りながらもリワード（成果）を求めて成長した。戦後の日本経済の先人たちは社運を賭けてリスクを取り、企業を大きく育てた。大きくなった組織では、後継者が先人の成し遂げた成果をキープしようとするだけで、リスクをとって未来への投資をしようとしない。そのことが、日本経済の低迷の原因の一つではないだろうか。

私は日本のある建設コンサル会社の顧問も務めているが、同社はリスクを取ることを恐れない会社である。従来の業務を進めながらも人材を集め、世界にチャレンジしており、若い従業員はいきいきしている。そのような企業をもっともっと増やすことが、日本経済再興のために必要である。

コラム　三人のエリートへのインタビュー

私の知人へのアンケートではさまざまな興味深い回答が寄せられたが、なかには「もっと掘り下げて訊きたい」と思えるものもあった。そこで改めて三人の方にインタビューを行ない、日本の印象や問題についてどう考えているかを聞き出した。以下に箇条書きの形でまとめてみる。

彼らが真摯《しんし》に日本の現状について考えてくれたことに、この場を借りて感謝したい。

S氏（アメリカ）　ハーバード大学ロースクール元客員教授、マイアミ大学ロースクール元部長（不動産、土地利用セクション）、フロリダ州立大学元教授、日本政府（建設省）、開発会社元顧問、日米協会元セクレタリー（幹部）、フロリダ支部長

①日本人は仕事の相手に会う前に、相手のことをあまり調べないようだ。アメリカでは通用しない。アメリカでは相手に会う前に先方の実績、歴史、業務を調べ、仕事ができるかどうかを調べる。

②おもてなしの精神は見事だ。モノをなくすと探してくれる、道を聞くと現地まで案内してくれる。食事によるもてなし、お土産文化も日本はすごい。

③①にもつながるが仕事を進める際、日本では関係者の人格を重視し、アメリカでは仕事のメリット重視。これは終身雇用にもつながる。仕事ができることが重要で年齢は関係ない。

④歴史的に女性軽視の傾向がある。アメリカは逆かも。

⑤外国人への偏見――自分たちの仲間でない人間を警戒する。外国人に対しても同様。

⑥政治家は勉強が足らない。世界を知らない。国の負債が増えることは構わず、金で地方自治体を釣る。自分の選挙区が大切。なぜ空港が八〇以上あるのか、三〇基以上の原発があるのか？　必要ではなく、選挙のためだけでは？

⑦アンタイド（海外への資金提供で自国のメリットを追求しない）での貢献はすばらしいが、日本のためにはならないのではないか。

⑧JICAの援助に、「日本が優れている、日本のまねをしろ」という押しつけがましさを感じる。日本のシステムが優れていると思ってのことだろうか。日本人は自分たちの経済、文化が優れていると自負しすぎている。

K氏（アメリカ）　フロリダ州立大学元公共政治学部長

①日本の教育には自由がない。子供は想像力を持っているが、日本の教育はそれを殺している。上海交通大学による世界大学学術ランキングで、世界のトップ100に日本の大学は二校しか入っていない。アメリカは三八校、中国は九校入っている。なぜなのか？創造性を育てないからではないか。

②日本の女性が置かれている状況は感心できない。昔、日本の国立大学から一年間政治学を教えに来てくれと言われたことがあり、私はハワイ生まれの日本人である家内とともに何回も訪日した。しかし自由に意見を述べる家内は日本にいづらく、日本で住むことを拒否した。

③日本人に教養がないわけではない。ただ、日本の教育は自分を表現することを教えていない。もっと、英語を教え、自由に話すことを教え、若者を世界に送り出せば君（筆者）のような日本人が生まれるはずだ。

④一九二〇年から四〇年のあいだ、日本では民主主義が生まれようとしていた。しかし、コンサバティブなファシスト（独裁主義・国粋主義者）がそれを抑え、非現実的な戦争

に突入した。教育はファシストの意向に従って行なわれた。戦争の結果は明らかであった。

⑤日本人に創造性がないわけではない。日本のアニメは素晴らしい創造力の賜物だ。政府がコントロールしなければ日本人はもっと創造性を発揮できる。

⑥一九六一年から六六年まで駐日アメリカ大使を務めたエドウィン・ライシャワーは、あの時代においてアメリカトップの日本学者であった。大使は、日本人はヨーロッパのような植民地政策を採用せず、国際協力を旨とした世界進出を目指すべきであった、と述べた。しかし、日本は植民地政策でアジア侵略を選んだ。今の日本はライシャワー大使の言葉を考えるべきだろう。

⑦今の日本には国の Sense of Purpose（目的意識）がない。日本は世界で何をしなければならないかを理解していない。そういう意味では、この本には日本の方向性が示されている。

J氏（イギリス）　イギリス財務省高官、PPP／PFI専門家

①日本の創造性は日本のどこでも見かける。日本の先端技術は創造性に富んでいる。東京

の街はさながら日本の技術の結晶のようだ。特に日本の公共交通、電車、鉄道のコンビネーションは世界一。

②日本食は世界一の文化と考える。私はイギリス人、家内はフランス人だが、娘たちは日本食が一番、フランス料理が二番とランクする。

③日本庭園は自然と融合をしている。ヨーロッパの庭園は、人間が明らかにデザインして造った庭であり、自然と協和しない。

④英語が世界共通語になったことで、英語を解さない日本人は世界を知らない人種になっている。シャイではないが世界が見えていない。

⑤英語を母国語として話す人種は世界の五％。残りの九五％が英語圏に合わせているが、逆に英語圏の人間は世界を見る目、多文化、他言語を学ばず、取り残されているとも言える。

⑥多様性が欠如し、規格外の考えが出ないことについては、確かに日本独自のシステム、「ジャパニズム」が影響しているのだろう。一例を挙げれば、名刺の交換、長時間の会議など。ただし、日本人は会議の前に書類を読み、準備をしてくる。海外のビジネスは必ずしもそうではない。ヒエラルキー（階級制）のシステムは節度があり、いいと思

う。

⑦二〇〇〇年過ぎまで世界はグローバル化で一つになってゆくと考えられていた。しかし今はポピュリズム、個人主義の行きすぎで世界のバランスは崩れている。君が言うように東洋の「共存」の姿勢が必要に思える。

⑧本書で書かれているように、日本には真の民主主義が発展することが必要である。しかし個人主義を強調しすぎると、トランプ、プーチン、習近平が出てくる。ただ、習近平自身は世界から学ぶ経験をしていないように思われるが、中国は、世界に追いつくための世界中に学生、中国人を送り込み、世界を学んでいる。おそらく、世界で一番世界を学んでいる国民である。日本はもっと若者を世界に出すべきである。

＊　＊　＊

いかがだろうか。個人的には、J氏の「英語を母語にしている人々も、世界から学ばず、世界から取り残されている」という指摘が特に印象に残っている。これはすなわち、英語を学ばなければならない日本人にはチャンスがあるということである。これまであまり外国語を本気で勉強してこなかったという方は、是非、何らかの外国語を学び始めて、世界的な視野を獲得してほしい。

第四章

日本はどのように世界に貢献できるか

【アンケート5】日本はこれからどのように世界に貢献すべきか

アメリカのエリート九名の答え

S氏

⬇日本経済は世界有数の経済大国である。世界経済、平和、ＳＤＧｓ貢献ができる国である。これを行なうにはそれにふさわしい席に着かねばならない。

⬇多くの世界組織活動にできる限り参加し、国のゴールを設定し、世界経済、世界平和、ＳＤＧｓ貢献に参加すべきである。

⬇日本の若者を教育し、このような活動に参加できる人材を生み出さねばならない。

C氏

⬇日本はＳＤＧｓを受け入れ、すでにある他国との関係を活用して、これらの活動を行なうべきである。

D氏

⬇世界経済をリードする日本は国際活動、ＳＤＧｓ活動に貢献できる環境を持つ。大戦を経験した日本は、平和主義を貫く中で平和構築のための予算も計上されている。

⬇日米の同盟関係は七三年だから、歴史としては浅いが、平和、平等、国民の権利、安全などに貢献し、経済成長を通して世界経済に貢献している。

Z氏

➡原子力事業を拡大し、NATOのような組織をアジアで構築すべし。これは海外からの投資を呼び込む。

M氏

➡創造性、イノベーションの推奨。

➡教育、トレーニングを通して高品質製品の生産システムをシェアする。

➡国際組織でリーダーシップが取れる人材育成。

➡環境市場（水道、下水、エネルギー）で貿易力を上げる。

➡カーボンフリー政策を掲げる。

R氏

➡日本、アメリカ、他の民主主義国は民主主義の原理を強調し、ポピュリズム、覇権主義に対抗しなければならない。

➡長期的安定を構築する民主主義を推奨する。覇権主義は長期的貿易協力関係を維持できない。

➡経済の発展を望むなら日本は教育とリサーチに力を入れねばならない。国際競争に勝利するには新しいアイデアを経済に導入してゆくべきである。

➡日本は国レベル、地方自治レベルで新しいシステムを構築し、変わりゆく環境の中で透明性を確保し、双方向でのコミュニケーションが取れるシステム構築が必要である。

➡民主主義を貫く日本を尊敬する。

➡社会・気候・政治の変動の中で、日本は世界のリーダーになる資格は十分に保持している。

H氏（女性）

➡多くの貢献が考えられる中で、多くの市場で新しいリサーチ、イノベーションを共有し、製造、技術、農業といった国連の目指す目標の中ですばらしい貢献ができると信じる。

B氏

➡日本は世界から尊敬される国であり、経済、政治で世界をリードできる。日本は世界の気候変動でも大きな貢献ができる国である。

K氏

⬇ライシャワー大使が書かれたように、日本は明治維新で鎖国政策を止め、世界への進出を考えた際、資源に乏しい中で経済成長を遂げるための選択肢は二つあった。西洋の国のような植民地政策か、国際協力を通じての経済成長か、である。不幸にも植民地政策を選んだ日本は第二次大戦で敗北した。戦後の日本は国際協力を基本としたチャンピオンの道を選んだ。

⬇日本は東洋で初めて経済成長を成し遂げた国であり、西洋の国以外で民主主義を構築した国である。インドは少数派を弾圧することで民主主義をあきらめた。韓国では民主主義が成立している。アジアの民主主義国家日本、韓国はヨーロッパのフランス、ドイツのように両国で協力して地域経済の成長を目指す時である。

もしそれができなければアジアは中国の支配地域になるであろう。

アメリカのエリートの日本観

- 日本は全般的に世界に平和と発展に貢献する力があるから、期待している。また、それは先進国としての義務でもある。
- 民主主義の拡大に尽力してほしい。
- SDGs及び気候変動への対策に貢献してほしい。

ヨーロッパのエリート六名の答え

B氏

➡日本はG20以外の国にも声をかけ、G7での活動を強化させ、世界銀行やアジア開発銀行などの国際開発金融機関、IMF、UN（国連）、OECDの組織内で複数連合を構築してゆくべきである。

N氏

➡日本文化は人間や自然を尊重しながらの経済成長を可能にしている。国連のSDGsはpeople（人）、planet（地球）、prosperity（経済発展）を強調している、New Game（新しい試み）である。世界はこの新しいゲームを行なう際、日本の経験を参考にしなければならない。

➡日本国内には組織的改善（institutional innovation）が必要になっている。新しい試みは世界で活躍できる人材を必要としている。日本は国際協力のため、国内の大学を活用すべきである。

J氏

⬇日本はG7、G20の中でも裕福な国である。災害に強く、多角化した製造業、サービス産業を持ち、優秀な技術者、教育を受けた労働者が多数いる。政府、産業、アカデミアは効率よく仕事をしている。国は美しく、透明性を保つビジネスがあり、多くの観光客を受け入れている。

⬇問題は、人口減少、高齢化、低い出生率、外国からの労働者の受け入れ不足。R&D（リサーチと開発）への投資も少なく、今後の日本の生産性はさらに低下するだろう。

S氏（女性）

⬇日本は多額の資本を有している。これを活用して発展途上国での経済開発をサポートしていける。これらの国々を発展させることは、国連のＳＤＧｓの実現に向けて最も大きな課題である。ＪＩＣＡなどの協力も拡大できるはずである。

Ｚ氏

➡日本は独自の経験から得た知識を途上国とシェアできるはずである。その中で国連のＳＤＧｓプロモーションも実行できる。

Ｂ氏（女性）

➡日本は紙の上ではＳＤＧｓなどの推奨をうたっているが、もっとできるはずである。

➡国内では、生活に苦しんでいる国民を助け、収入の平等化を考えてはどうか（アメリカのように)。

⬇日本各地で実行されている商品作物の無農薬栽培や、自然を活かした畜産、養殖技術などを海外に指導することも希望される。

ヨーロッパのエリートの日本観

- 自然との共存を重視してきた文化を持つ日本は、現在よりもさらに積極的にSDGsを推進してほしい。
- 優れた技術を発展途上国に提供し、世界の平和と発展に貢献してほしい。

アジアのエリート一〇名の答え

マハティール閣下

⬇日本はもっと留学生を受け入れるべきである。そうすれば、日本のポジティブなイメージ向上、規律などを重んじる文化の推奨、勤勉さ、コミットメント、献身精神をさらに世界に広めることができる。

⬇日本は途上国にもっとインフラ開発資金を出すべきである。

⬇貧困国、途上国へのリサーチを行ない、イノベーションを助成する資金援助をすべきである。

K氏

⬇保護主義に陥ることなく自由貿易の発展につくすことで、世界経済に貢献してほしい。

⬇もっと外国企業が進出しやすくすべきである。

➡外国からの技術研修生を増やすべきである。また、学生・研究者の日本への留学をより簡単にする方がよい。

➡外交面で、世界平和を構築する活動に参加すべきである。

➡ＳＤＧｓのゴール７（エネルギー公害対策）、５（男女平等）、13（気候変動）に貢献できる。

➡世界に先駆けてＳＤＧｓを実践してほしい。

Ｊ氏

➡アジア諸国への経済協力をすべきである。インフラ開発だけでなく、他の経済協力、文化的サポートも含む。

➡発展途上国に対し技術向上や人材育成に協力し、持続可能経済、貧困脱出に貢献するべきである。

➡途上国のネットワークを構築するため、日本の大学の卒業生を活用する。

➡日本は持続可能経済の分野で貢献できるが、それ以上に総合的、長期的技術開発、プロジェクト開発、文化継承の分野でも貢献が可能である。

N氏

➡日本は経済協力、イノベーション、技術シェア、外交力、環境改善、教育、人材育成などの分野でパートナーの国々と協力ができる。

R氏（女性）

➡人材育成、科学技術R＆D、文化交流、この三点で日本は世界経済、世界平和に協力できる。

F氏

➡日本には世界に貢献できる人材、企業がある。東アジアの市場は大きく拡大している。途上国支援を行なっていく中でSDGs実現に貢献ができると思う。

K氏

➡環境整備、バイオマス発電、ごみ収集、火力発電、人権尊重、礼儀正しさを広めることを期待する。

K氏

➡世界経済安定への貢献、高品質公共インフラを世界とシェアする。価値の高い、長期使用可能な公共インフラを開発するとともに、輸出して世界に広げる。

⬇日本が投資してきた科学技術はＳＤＧｓ実現に活用できる。
⬇日本人の生活は非常に質素である。この質素さはＳＤＧｓの目的に沿っている。
これは広めるべきである。
⬇日本の製品梱包は無駄が多い。

S氏

⬇日本はクリーンエネルギー開発、公害削減、貧困阻止で多くの資金を活用した。
これは世界に広めるべきである。

I氏（女性）

⬇日本は出生率を上げる政策、海外からの労働者受け入れを行なうべきである。

⬇日本はより国内外を問わず人材育成トレーニングを行なうべきである。

アジアのエリートの日本観

・日本の国際貢献可能性について、アジアのエリートたちはほぼ一致して高い評価をしている。また、そこから具体的な提案が出ており、日本との協力に期待を持っていることがうかがえる。

・欧米と異なり、日本のインフラ技術に注目が高い。

アフリカのエリート四名の答え

A氏

➡日本は互いを尊重し、対立を好まない文化を持つから世界貢献できる。

K氏

➡日本文化を世界で共有し、世界協力を通して日本経済の復興を図り、世界経済に貢献する。

➡世界との協力をベースにした日本経済の復興計画を作成し、実行する。

➡政治的には世界のスーパーパワーとのバランスを取りながら、独自の立場を確立することが望ましい。強大な国々に都合よく使われないように気を付ける。

➡伝統的に強い分野：製造業、消費者用エレクトロニクス、健康・製薬産業、リテール産業、金融サービスを育成し、世界経済に貢献する。

⬇デジタル化をすべての分野で進める。

S氏（女性）

⬇気候変動問題については、日本は再生資源開発、高効率エネルギー開発、低炭素技術開発で世界貢献ができる。

⬇日本はSDGsでもゴール7（エネルギー）、13（気候変動）などに貢献できる。グリーンファイナンス（環境問題への取り組みのための投資に対するファイナンス）でも貢献できる。

⬇国際協力については、人権問題、対立緩和、平和構築の分野（SDGsゴール16）でも、同盟国との外交関係による貢献が可能である。

⬇開発援助については、日本はインフラ開発、教育、健康維持、貧困削減への協力を行なっている。

➡SDGsゴール1（貧困削減）、ゴール2（飢餓の減少）、ゴール3（健康維持）、ゴール9（産業育成イノベーション）、インフラ開発で大きな貢献をしている。上記を実行することで日本は世界経済成長、平和構築、SDGs実現に貢献できる。

C氏

➡日本は国連の加盟国と協力の上、SDGs実現への貢献、その成果としての経済成長に貢献できる。

アフリカのエリートの日本観

・アフリカの人々は日本文化への好感度が高いようで、その精神をもとにした国際協力が期待されている。

日本のエリート四名の答え

H氏

➡日本はすでにSDGsへの貢献をしてきている。国際社会では具体的に防災、保険、教育分野で、計画策定、投資実行、組織間ネットワークの構築を、ODAを通して行なってきた。

➡人づくり、人の保護（安全保障）を通じて世界での災害に強い社会づくりに貢献できる。

K氏

➡平和憲法を維持している日本は平和構築に貢献できる。

➡世界経済とSDGsに関しては、日本は戦後復興、高度成長期の経験から世界貢献ができる。

➡インフラ開発では世界に貢献できる。また、災害対策でも気候変動によって訪れる災害の活発化に対して、インフラ強靭化《きょうじんか》で協力できる。

I氏

➡日本人は昔からSDGsを実行してきている。日本人は世界に対し日本の持続可能な生活習慣を教えることができる。「もったいない」という日本独特の言葉を広げることも日本人の使命ではないか。

T氏（女性）

➡小さな成功事例を続ける。

➡横展開できるシステム構築を行なう。

➡事業であれ、ＯＤＡであれ、ビジネス、人道支援でも、ＳＤＧｓのような共通社会価値を高める目的で日本は世界に貢献している。

日本のエリートの日本観

- 世界への貢献や今後のＳＤＧｓの実践などについて、日本は世界に貢献しているし、これからもしていけるという自信を持っている。

■期待される先進技術と伝統文化の精神

世界のエリートの多くは、日本はその先進技術と、自然との共生を志向する伝統文化の精神をさらに磨き、国連が提唱するＳＤＧｓをはじめ、持続可能な社会の構築に貢献してほしいという方向でアンケートに答えている。

長かった低迷を何とか抜け出しつつある日本経済だが、いまだ決め手となる手段に欠けている。欧米に一歩遅れてＩＴ化路線を推進してきたが、私は今後の新たな産業政策として、サステナブル経済を志向して、世界に先んじるための経済政策を取るべきだと考えている。

イギリスでアダム・スミスの経済学と、産業革命から始まった自由主義経済成長は、二一世紀に入り、方向変換を余儀なくされている。産業革命以来およそ二五〇年間の人類の活動は、地球環境にさまざまな悪影響を及ぼし、このままの状態での繁栄の継続を不可能にした。温暖化が原因とされる異常災害の発生が相次ぐようになり、地球が人類にとって住みづらい惑星になりつつあるという指摘が多くなされている。

それを受けて国連では、ＳＤＧｓを提唱し、国や企業、民族レベルでのパラダイム・シフトを促しているのが現状だ。世界のエリートたちは、この状況下でのリーダー的役割を日本に期待していることがわかるであろう。

東洋では「危機」をCrisis（危期）とOpportunity（機会）と表現する。この言葉は日本に経済成長の機会を与える可能性を示していると考える。日本にはそのための人、モノ、金はすでに備わっており、足らないものは国民のやる気である。それを喚起するリーダーたちのビジョンである。未来志向で世界に学ぶ機会が非常に不足しているのである。

日本はこれまで、西洋から学んだ利益追求型経済で成功した。また、日本経済の成功パターンは、日本政府が掲げた産業政策にもとづく経済開発である。八〇年代後半にはその成功を妬《ねた》まれ、先進国からのプレッシャーがかかり、日本の産業政策ベースでの経済開発は、その火が消えてもう三〇年立っている。

世界で通用した日本のユニークな技術基盤を地球、人類の存続のために活かすことで、日本経済は新たな役割のステージに進むことができると思う。脱炭素、持続可能技術開発を中心に産業政策を再び設定し、官民が共同で道筋を付ければ、おそらくその成長は実現するだろう。

そのためには世界のブレーン（英知）を招集することも必要になる。他の章でのアンケート結果にも表れていたが、優秀な留学生の獲得も重要なプロジェクトになるだろう。平和で持続可能な社会の構築を目指して、もう一度世界に挑戦することを提案したいと思う。

サステナブル経済においても当然のことながら利益追求は可能である。またこのような産業政策ベースでの経済開発は、アメリカをはじめとする先進国に歓迎されることは間違いないだろう。自由主義圏全体としては中国という新しい対抗馬があり、日本経済の復興により世界の資本主義経済が強く活性化されるからである。

日本では二宮尊徳が道徳と経済の両立を訴えた。渋沢栄一も同じ思想である。世界は地球環境と経済の持続性を訴え始めている（ＳＤＧｓ）。

現世代には、地球環境を人類が住み続けられる状態に保ち、次世代に引き渡す義務があると考える。

■提案①　ウッドペレット生産によるエネルギー政策

ここで日本経済復興のために、サステナブル経済に向けた提案を三つしてみたい。リスクなくしてリワード（報酬）は得られない。ジャパニズムの考えでは無茶な提案だと否定されるかもしれないが、産業政策の具体的な一例として、日本にいくつかの提案をしてみたい。

かなり大きなプロジェクトであるが、無茶だ、できない、リスクが多すぎるとネガティブにならず、それができたらどうなるかという発想で思考実験してみてほしい。日本経済の未来を創るための頭の体操である。

提案の一つ目は、ウッドペレット生産によるエネルギー政策である。

日本のエネルギーは九〇％以上、資源の輸入でまかなわれている。そのために輸出で得た外貨が出ていくことになる。これが、資源小国といわれる日本の弱点になっている。

ここで、日本の国土の六九％は森林であるということに注目してみる。国は戦後の人口増加に備えて木材生産を政策としたが、それは今でも継続している。既存の林業の保護という意味もあるだろう。だが、すでに人口が減り始めた日本では、このような森林政策は必要なく、転換が求められるだろう。

過剰になった木材を活用して、ウッドペレットを大量生産したらどうだろうか。ウッドペレットとは、木材、間伐材や製材時に発生する端材、おがくずなどを乾燥させ破砕し、乾燥・圧縮させて円筒形に成形した木質燃料を指す。初めは輸入資源の石油や石炭と混焼し、徐々にペレットの量を増やし、ゆくゆくは一〇〇％ペレットをベースとした発電を行なうのである。そしてこの技術を世界に輸出するという政策だ。

ウッドペレットを燃やせば、大量にCO_2が出るではないか、という反論があるだろう。そこを、国の税金を使って研究開発し、日本の技術力でCO_2排出をミニマムに抑える（現在の火力発電以下にする）のである。現在の新型火力発電所の技術を応用すれば不可能ではないと思うのだが。資源のない途上国は喜ぶであろう。

ＥＵではＲＰＳ（Renewable portfolio standard：再生可能エネルギー供給義務化基準）という指標がある。発電を行なう際に使われる資源が再生可能資源である割合であり、二〇％以上としている。アメリカでは各州でまちまちだが、平均一〇％くらいを目指している。日本ではこれが二％以下だったと記憶する。

現在、アメリカでは、成長が早く、安いアメリカ南部の松林（ＩＴ化で紙需要が減り、値段が下がっている）を活用するペレット工場があちこちで稼働している。ＥＵではＲＰＳを満たすため、アメリカでつくられたペレットを輸入している。フロリダ州では、一工場で年間六〇万トンを、隣のジョージア州では年間八〇万トンを製造しヨーロッパに輸出している。ここからの収入は、当然州経済にも好影響を与えている。

日本にもペレット工場はあるが、その生産規模は六〇くらいの工場で年間五万トンくらいである。世界全体では年間一億トン以上のペレットが生産されていることからすれば、世界生産の〇・〇〇五％である。伸ばす余地は存分にあると言っていい。

この提案をある人に話した時、日本の森林は勾配《こうばい》が急で木を伐り出しにくいと言われたことがあったが、かつて資源が乏しい中、技術革新で日本経済を成長させたことに比べれば、森林の勾配を克服することはそんなに難しいことではないと考える。このプランが日本のエネルギー政策、輸出作業につながらないのであれば、その要因は技術力不足ではなく、リーダーのビジョンがないゆえであろう。

国土の六九％を占める森林を持つ日本は、国のＲＰＳを五％から一〇％に設定することで、過疎化が進む地域経済を活性化することができる。それによって、山村に若者を呼び戻すことも期待できる。

■提案② 原発をＬＮＧ（天然ガス）発電にコンバート

少し前になるが、ミシガン州ウッドランド地域で原子力発電所をＬＮＧ（天然ガス）発電にコンバートする記事を読んだことがある。

ミシガン州では、発電所で蒸気を作るエネルギーを原子力からＬＮＧに転換する計画があった。原発建設に四〇億ドルかかり、コンバートに使った金が五億ドル、日本円で七〇〇億円だと書かれていた。資源の少ない日本は、原子力発電の可能性を重く見て税金を投入し、

確かにクリーンではあるのだが、あまりにもリスクが大きいことが証明されてしまった、活断層の上にある志賀原発

五〇基以上の原発を建設したものの、その政策がうまくいっているとは言えない状況を抱えている。

　福島第一原発の事故で明らかになった電力会社の危機管理の甘さが本当に改善されているかどうかも不安だ。停止されていた原子力発電所が漸次《ぜんじ》再稼働されているが、二〇二四年元日に発生した能登半島地震の震源地には二〇一一年から停止している志賀原発があり、加えてそれが活断層の上に建設されていることも明らかにされ、国民の不安を再び喚起させることになっている。原子力発電政策は、もはや日本では挫折したと言っていいのではないか。

　もし日本の原発を、ミシガン州がトライ

したように天然ガスを用いた発電所にコンバートできれば、日本の電力供給安定への道が新たに拓かれると考えるがどうだろうか。予算は一カ所につき七〇〇億円、東日本大震災の発生前に日本にあった原発五四基すべてで三兆七八〇〇億円である。長期計画であれば見通しが立つのではあるまいか。

このまま再稼働させずにいても人件費やメンテナンスの経費はかかっていくし、システムは老朽化してゆく。それを放置するのが果して有意義なのか。漸次LNG発電へのコンバートを行ないつつ、その技術を確立してゆけば、他国に同様のニーズが生じた際にそれを輸出してサポートすることができる。日本が期待されている持続可能な開発にもかなう政策になる。

GDPで日本を抜いたドイツは、すでに原発から手を退《ひ》く決断をし、行動を開始した。ドイツの原子力発電は、二〇一〇年には全体の二二%を占めていたが、二〇二二年には六%まで下がった。原発ゼロへの到達は目の前である。

■提案③　災害準備対策機関・JEMAの設立

災害に強い社会を、レジリエント・ソサイエティと呼ぶ。

私の友人の一人は、ニューオリンズでハリケーン・カトリーナを経験し、復興チームのチーフ・コンサルタントとして活躍した。それをきっかけにレジリエンス開発の専門家となり、現在では国連のレジリエンシー委員会の長を務めている。

委員会では、想定されるハリケーン、洪水、竜巻、地滑り、土砂崩れ、地震、津波、火山噴火などの被害を予測し、どのような準備が必要か、災害後の速やかな復興のためにいかなる事前の備えが有効かなどを広く研究しているということだ。この友人は予測した災害に対し、予防策を考え、自治体に提供している。

地震、津波、台風、土砂災害などが多い日本でも、こうしたレジリエンスの研究を本格化し政策として本気で取り組めば、その分野での世界のリーダーになれる可能性があると考える。前述したが一ドルの予防対策投資は復興時に六ドルの経費削減を生むとアメリカのＦＥＭＡは発表している。

世界経済はＶＵＣＡ時代に入っている。Volatility（不透明、予測不可能）、Uncertainty（不確実性）、Complex（複雑性）、Ambiguity（あいまいさ）で象徴される社会である。以前よりも大幅に、天候予測技術や災害シミュレーション技術が進んでも、さらなる想定外が日常茶飯に起きている。そのような中で世界を学び、日本の方向性を設定することは難しいことではあるが、何もしないで世界に流されるより、日本が貢献できる分野を探し当てることを考えるのが、未来に向けての建設的な考え方だろう。

計画学ではExpect the Unexpectedを研究する。想定されていない事態を探し出し、対応策を考えるのが計画学である。現在の日本の教育ではUnexpectedを見つけて、準備を行なうことは不可能だろうから、まずそのことから始めるべきだ。

前述したが、カーター政権が設立したFEMA（Federal Emergency Management Agency）は、一九七九年に設立され、現在では全米で一〇の支部を持ち一万人以上の専門スタッフが未来の災害に備えている。私の提案は、日本でもJEMA（Japan Emergency Management Office）を設立することである。国の仕事は国民の安全安心を提供することだからだ。アメリカが三・三億の人口に対して一万人なら、日本では少なくとも三〇〇〇人以上の災害対策専門の職員がいてもいいはずだ。

カーター政権はFEMA設立時に、新しい職員を雇用するのではなく、政府内で災害対策に従事する部署を一つに集めて作り上げたと聞いた。日本でも、例えば国交省の道路や河川などの整備に関わる地方整備局や、自衛隊の災害対策部署をJEMAに移管し、連携を行なうことで経費の削減が可能になると考える。

また、重要なことはJEMAは首相直属の組織にして、総理の全権で、責任をもって活動することである。JEMA設立のために十分な資金を調達することを求めたい。

災害の予知力を高め、災害が起こった時の想定をし、計画を立て、訓練を行ない、十分な職員、機材、予算を確保しておくべきである。訓練学校を設置し、国、自治体の災害対策職員を養成することも必要だろう。また、官官パートナーシップを奨励強化し、自治体同士が提携し、準備などを行なうことも有効だろう。

北九州市は二〇一一年には釜石市に数十人の職員を派遣したが、そのような対応策を前もって設定しておくのである。地震、台風などの自然災害は国全体を襲うことはまずないから、異なる地域の自治体同士の提携は有益だろう。

災害時に必要な物資にしても、災害が起きてから準備するのではなく、前もって計画し、自治体で備蓄できるものは備蓄しなければならない。大手小売店チェーン、コンビニエンス・ストアと自治体が契約しておけば、災害が起きてから数時間で物資を提供することが可能になると考える。民間企業側からも災害を想定し、それに対応する物資を日本中で準備できる体制をつくっておくことができる。ビジネスにつながることは言うまでもない。

このようなシステムをどう設置するかは、アメリカのFEMAを単純にコピーすることから始めればよい。準備一式揃っている。そしてそこで留まらず、太平洋地域、Ring of Fire（環太平洋火山帯）で協定を結び、地域単位で助け合うシステムを日本、アメリカが先導して作り上げることも十分可能になるのである。

■社会福祉に関する日本政府への提案

このような新しい動きは、最終的には同じ問題を抱える国々への解決策の輸出につながると考える。危機を機会と捉えれば、日本が抱える高齢化の問題でも、世界を助ける方策につなげることができるのではないだろうか。日本の高齢化問題は世界に先行して顕著になってきているから、これから同じ状況を迎える世界の国々は、日本の試行錯誤の結果得られた対策を必要とするに違いない。

社会福祉経費に関して、数年前に東洋大学大学院のゼミで計算したことがあり、高齢者の介護にかかる費用はその半分に近い数字であった。これからますます高齢化が進む社会では、その額が上昇していくのは止むを得ないだろう。社会福祉に振り向ける予算全体も、増加せざるを得ないはずだ。高齢者介護以外のサービスも、多角的な要請に応えるため充実させていかねばならないからである。

そのような時代を迎えることが確実になっている今から、政府や自治体に導入を検討した方がいいと考えていることがある。それは、高齢者の介護における、若い世代のボランティアサービスである。

たとえば、日本国民は一八歳（もっと若くてもよいが）からボランティアで地域の介護サービス提供に参加する。ライセンスを必要としない範囲での介護サービスを数時間の訓練でマスターし、現場に参加する。頻度は月に一日とし、自治体がそれぞれの記録を残す。六五歳まで続けることでその後の介護サービスを権利を取得する。ボランティアをしない人は五〇〇万円をこのシステムに出資し同じ権利を獲得するというしくみである。

厚労省の方によると、免許がない一般人を介護に従事させることは難しいということだったが、今でも世界中で免許を持たない家族がシニアの介護をしている。問題はないのではないか。日本の厚労省は人口の高齢化、シニアの介護を本当の危機として考えているのだろうか。

私のゼミにおける計算では、このシステムで毎年九兆円近い額が削減できるという推定が出た。現在のように、税金と本人負担での介護サービスの運営は、持続が可能なのかどうか定かではない。

①このプログラムによって、国民は若い時から国の高齢化問題を理解するとともに、介護の重要性を理解することになる。

②世界は高齢化に向かっている。日本が先達として高齢化問題を解決して、世界に貢献できる。ＳＤＧｓの実践にもなり、ノウハウを海外に輸出できるようになる。

少なくともこの二つの効果は見込めるから、検討に値すると思うのだがいかがだろうか。

■日本の大学にも「老人学部」の設立を

私が大学院生活を送ったフロリダ州立大学には、老人学部 Pepper School of Gerontology があった。フロリダ選出の有名な下院議員で、学部設立に尽力したペッパー氏の名を冠した学部である。その時は全米で唯一であったと思う。

フロリダ州はリタイア後の人生を送っている人が多い。そう言うと、手厚い介護福祉システムがあり、それを大学で教えていると思うだろう。だが、それは違っている。そこでは、いかに高齢者にアクティブに活動してもらうか、どうすれば、ハッピーにお金を使って、介護福祉を必要としない生き方ができるかを教えていた。

日本と同じくアメリカでも、個人資産の六〇％以上は六五歳以上が所有している。そのお金を自分のために存分に使ってもらうことが、経済に貢献し、若い世代のためにもなる。フロリダのリタイアメント・コミュニティでは、シニア層のためのアクティビティを考えるディレクターがよいサラリーを稼ぐとも聞いていた。

「ビレッジ」というシニアコミュニティは、立ち上げから一〇年で一〇万人の住民を集めるほどだった。野球チーム、自転車チーム、ゴルフ、バレー、釣り、その他のスポーツ、趣味のクラブなどあらゆるエンタテイメントが存在していた。タウンセンターにはテレビ局、ラジオ局、ショッピングセンター、レストランが存在し、町の中では、各人が所有するゴルフカートで移動する。高齢者のカートはロールスロイスデザイン、ベンツデザインが施され、それが目印になっていた。このようなシニア層はアクティブシニア（活動するシニア層）と呼ばれていた。

アメリカでは、「生涯現役」を目指す人はあまりいない。五〇代でリタイアする人も多く、若くして成功し、人より早くリタイアするのが格好のいい生き方である。

日本でもシニアもタンス預金を持つのではなく、自分のため家族のためにハッピーにお金を使い、人生を楽しめる生き方ができ、そのお金が若い世代に移る手法の方が、福祉、介護で経費を重ねるより財政負担が少なくなると考えるのだが。

少なくとも、日本の大学にも「老人学部」をつくり、シニアの安心で幸福な生き方と、それを可能にするシステムを研究したらいかがであろうか。

おわりに

この本は私の長年の海外経験にもとづいて日本を観察し、日本経済、日本の再建に何かお手伝いできればと思い書かせていただいた。

第一に、今の日本をつくり上げた政府・経済システムは戦後復興にすばらしい成果を上げたが、今の時代、これからの世界への貢献にはシステムの変換ができなければそのような成果は望めない。過去の成功をもたらした、日本が作り上げたシステム――ジャパニズムは今、逆に日本の成長の足を引っ張っている。世界を学び日本の新しい在り方を考える時である。

第二に、日本の負債、福祉予算は過大であり、世界からは日本の未来が危うく見えている。負債返済も高齢者福祉の改革も、国民が政府が本気で考えねばならない。国民が真剣に考えなければ問題解決にはならない。この本では真剣になるにはどう考えればよいのかの提案・手引きも書いた。

第三に、問題解決には国の経済の再建、復興が不可欠である。そのためには、産業政策にもとづく経済政策を復活させ、官民共同による経済復興を実行することが有効と考える。中国という強敵が現れたことで、日本経済の再建を先進国は歓迎はしても、プレッシャーをかけることはないだろう。

第四に、ではどのような産業政策が日本の未来をつくり、世界に貢献できるかを考えると、それは今国連などで進めているサステナブル産業ではないだろうか。この本ではサステナブル産業について二、三の提案をさせていただいた。これらはあくまで私の試案で、世界で通用する（貢献できる、輸出できる）産業は数多く日本には存在する。そのための人、モノ、金は揃っている。しかし、復活のためのビジョン、必然性が欠けているのである。

第五に、日本は世界の市場でフォロワーでなくリーダーとして活躍できる国になっていただきたい。そのためには若者の教育に力を入れ、世界で通用する人材の育成をしていく必要がある。世界の潮流のフォロワーでなく、リーダー格になる人材を育成しなければならない。そのためには世界の人口、経済のマジョリティを保持するアジアのリーダーとして、アジアの価値観を世界の動き、傾向に組み入れる必要がある。

西洋がリードして、利益追求のシステムがつくり上げた地球のアンサステナビリティを考えた時に、ＩＴやＡＩ、これからの技術革新にも東洋思想を組み込み、地球の持続可能を考えた思想をつくり、世界貢献につながるパラダイムをつくり上げることで、日本が世界に対し貢献することができると思う。

第六に、そのような思想、活動を創造する研究所が日本で設立されることを願う。世界から人材・英知を集め、世界の未来への貢献につながる研究所が望ましい。一九六〇年後半にローマで設立されたローマ・クラブの報告書は、大学生であった私の目を覚ましてくれた。未来を考えた「クラブオブトウキョウ」の報告書により、世界の多くの若者が目を覚ますことを祈って、この本の終わりの言葉としたい。

サム田渕［さむ・たぶち］

東洋大学国際学部名誉教授。東洋大学アジアPPP(官民連携)研究所顧問。国連PPP推進局レジリエンス・サステナビリティ委員。世界PPP協会アジア・太平洋支部チェアマン。
1950年石川県生まれ。立教大学卒業後渡米。77年フロリダ州立大大学院都市地域計画学部修了後、フロリダ州知事室、州商務省に勤務し、アジア課長などを務め88年退職。80年USTR(米代表通商部)特別補佐官(出向)。米国高速鉄道TOD(公共交通指向型開発)に従事。帰国後、2006年東洋大学PPP大学院教授、東洋大学アジアPPP研究所所長、東洋大学国際学部GINOS学科教授を務める。国連PPP委員会常任理事を経て18年同議長に就任。

[写真提供一覧]

P67, 84　写真提供：ユニフォトプレス
P77　写真提供：CNP/時事通信フォト
P80　Ferdinand Schmutzer, Public domain, via Wikimedia Commons
P154　wikipedia
P155　Peabody Awards, CC BY 2.0 <https://creativecommons.org/licenses/by/2.0>, via Wikimedia Commons
P241　写真提供：時事

PHP新書
PHP INTERFACE
https://www.php.co.jp/

日本はなぜ世界から取り残されたのか

（PHP新書 1393）

世界のエリートが考える衰退の要因

二〇二四年四月二十六日　第一版第一刷

著者――――サム田渕
発行者―――永田貴之
発行所―――株式会社ＰＨＰ研究所
東京本部――〒135-8137　江東区豊洲5-6-52
　ビジネス・教養出版部　☎03-3520-9615（編集）
　普及部　☎03-3520-9630（販売）
京都本部――〒601-8411　京都市南区西九条北ノ内町11
組版――――株式会社ＰＨＰエディターズ・グループ
装幀者―――芦澤泰偉＋明石すみれ
印刷所
製本所―――図書印刷株式会社

ISBN978-4-569-85684-1

ＰＨＰ新書刊行にあたって

「繁栄を通じて平和と幸福を」(PEACE and HAPPINESS through PROSPERITY)の願いのもと、ＰＨＰ研究所が創設されて今年で五十周年を迎えます。その歩みは、日本人が先の戦争を乗り越え、並々ならぬ努力を続けて、今日の繁栄を築き上げてきた軌跡に重なります。

しかし、平和で豊かな生活を手にした現在、多くの日本人は、自分が何のために生きているのか、どのように生きていきたいのかを、見失いつつあるように思われます。そして、その間にも、日本国内や世界のみならず地球規模での大きな変化が日々生起し、解決すべき問題となって私たちのもとに押し寄せてきます。

このような時代に人生の確かな価値を見出し、生きる喜びに満ちあふれた社会を実現するために、いま何が求められているのでしょうか。それは、先達が培ってきた知恵を紡ぎ直すこと、その上で自分たち一人一人がおかれた現実と進むべき未来について丹念に考えていくこと以外にはありません。

その営みは、単なる知識に終わらない深い思索へ、そしてよく生きるための哲学への旅でもあります。弊所が創設五十周年を迎えましたのを機に、ＰＨＰ新書を創刊し、この新たな旅を読者と共に歩んでいきたいと思っています。多くの読者の共感と支援を心よりお願いいたします。

一九九六年十月

ＰＨＰ研究所